les voyages de marco polo

alain grandbois

Chronologie et bibliographie d'Aurélien Boivin

bibliothèque
québécoise

fides

Couverture :
Conception graphique et illustration de Michel Gagnon.

ISBN : 2-7621-0802-0

Dépôt légal : 2e trimestre 1979, Bibliothèque nationale du Québec.

Achevé d'imprimer le 13 novembre 1979, à Montréal,
aux Presses Élite Inc., pour le compte des Éditions Fides.

Préface

Lors de sa publication en 1941 (aux éditions Bernard Valiquette), le récit des *Voyages de Marco Polo* provoqua les commentaires les plus singuliers. De fait, l'ouvrage déconcertait: qu'un Québécois, en pleine époque troublée, ait eu l'idée de ranimer un épisode oriental vieux de sept siècles passait pour inconvenant ou tenait de la plus haute fantaisie. Pour condamner ce divertissement de dilettante, auquel il refusait d'ailleurs d'accorder la moindre valeur sur le plan de l'art, un critique prit la peine d'allier l'injure à la suffisance. D'autres, plus prudents, ne firent que rédiger le résumé de ce qu'ils considéraient comme un simple récit d'aventures. Seuls quelques lecteurs comprirent qu'Alain Grandbois avait écrit là un livre nécessaire, signe évident de sa passion pour la connaissance de l'homme et du monde. Ils se rappelaient *Né à Québec*, paru huit ans auparavant à Paris. Sans doute étaient-ils aussi de ces rares initiés qui le savaient poète.

De ces lecteurs attentifs, il est facile aujourd'hui de louer la justesse de l'intuition. L'examen de l'œuvre entière d'Alain Grandbois prouve en effet que s'y rattachent *Les Voyages de Marco Polo*. Ni travail de scoliaste, ni exercice de style: la chronique des exploits du Vénitien fut pour Grandbois incitation à la résistance contre ce qui subjugue, occasion d'un éloge de l'ardeur à vivre. Plus encore, les circonstances de création du *Livre des merveilles* ont pu le conduire à méditer sur l'usage qu'il fait lui-même de la poésie. N'y a-t-il pas d'ailleurs étrange similitude ? Qu'il s'agisse de Marco Polo ou du poète des *Iles de la nuit*, voici qu'un captif, doué d'une parole et d'une mémoire également précises, brise toute contrainte d'espace et de temps par le rappel d'une audacieuse exploration au cœur de l'inconnu. Parole et mémoire, voies de recours.

De tels propos étonneront quiconque persiste à voir dans cet ouvrage la seule relation d'événements historiques. N'avons-nous pas trahi l'intention de l'auteur ? indûment exagéré la portée de son livre ? Mises en garde nécessaires — et fondées: reconnaissons que la part de l'invention paraît bien mince, tellement fidèles et rigoureuses très souvent se révèlent la transcription des documents ou la reconstitution des faits. Par souci de véracité, Grandbois n'avance rien qui n'ait été certifié. Il rassemble un dossier aussi complet que possible. Il consulte des biographies du grand voyageur, d'anciens traités de géographie, de savantes études sur l'Asie médiévale, sur les religions, mœurs et coutumes des peuples d'Orient, documents divers dont il tire détails, anecdotes, légendes, éléments de description qui assurent l'évocation de l'époque. Et c'est dans un cadre patiemment recréé qu'il replace l'œuvre originale de Marco Polo, non sans avoir au préalable, avec toute la prudence requise, rétabli l'itinéraire présumé des explorateurs, cet itinéraire aux multiples ramifications qui leur a fait sillonner l'Orient fastueux, tumultueux, depuis Venise jusqu'à la ville aux toits d'or, Zipangu. L'éventuel auteur de l'édition critique n'aurait pas de mal à démontrer que Grandbois a observé le code de l'historien.

Mais ce qui fait la qualité du livre et, à nos yeux, tout son prix, ce n'est pas tant cette probité qui, certes, honore Grandbois, que les raccourcis fulgurants, les irruptions d'images, les récurrences, les omissions, les interrogations que la poésie reprend — bref, tout ce qui donne à croire que Grandbois, transposant sur le plan intérieur l'expl'oration du héros auquel il s'identifie, pénètre lui aussi en des pays *étranges et confus,* à la découverte de soi. Une quête de l'intimité commande, semble-t-il, ce récit; n'en donnons pour preuve que la symbolique du centre, tant de fois suggérée, d'autant plus significative qu'elle apparaît presque toujours grâce à des additions ou à des modifications apportées au texte initial.

Dès lors, à mesure que les interventions se multiplient, tout se passe comme si Grandbois s'appropriait l'existence aventureuse des Polo. Qu'importe où leurs pérégrinations les mènent, le lecteur ne quitte pas l'univers auquel, dans ses autres œuvres, l'avait habitué Grandbois, un univers où se conjuguent tendresse et violence. Eminemment vulnérable, de toutes parts menacé, l'homme affronte l'hostilité du monde pour ensuite en goûter l'insolite douceur. Ce ne sont que lieux sauvages, accidentés, marais ou déserts, plateaux arides, couloirs étroits aux parois lisses, droites, vertigineuses, ou encore cirques de monts abrupts, sites interdits, pétrifiés, accusant le relief accentué d'un amoncellement de rocs aux arêtes aiguës. Un monde minéralisé, dur, froid, image inexorable de la vie refusée, d'une *solitude d'acier*. Un monde inerte, ou, au contraire, agressif: à tout moment éclatent la rage des éléments, la colère des tyrans ou des dieux, si bien que l'homme, piégé, terrorisé, se voit contraint au silence, réduit à une existence murée. Et puis, soudain contraste, comme par miracle —

Nous avions survécu par miracle
Aux démons des destructions

— l'encerclement se dissipe et s'ouvre un espace habitable. C'est, une fois franchis les obstacles, l'accès à l'air pur, *le splendide repos d'un horizon calme*, la marche au milieu d'une végétation luxuriante, en des forêts giboyeuses, *la splendeur pâle et verte et sans fin de la mer*. Pareillement toute fureur s'apaise: au spectacle des razzias, rapines, perfidies commises par ceux qu'excitent la convoitise, la haine ou la folie de destruction, — succède celui de peuples hospitaliers ou de ces ermites, moines taôistes ou Gioghis, qui aspirent au nirvâna suprême — et, parfois, l'atteignent.

A noter que nous trouvons ailleurs le même rythme, la même alternance de tension et de rêve. D'abord en ce qui concerne les protagonistes. Comment expliquer que Marco Polo occupe si peu de place ? D'autres personnages, le père et l'oncle, Genghis-Khan, Koubilaï surtout, tiennent à première vue les rôles principaux.

Eux-mêmes cependant sont impliqués dans un ensemble fort complexe de circonstances de tous ordres, longue liste d'ascendants, histoire particulière de chaque région, crises ou conflits dont l'envergure dépasse les incidents limités du voyage. Lorsqu'en de rares occasions Marco Polo émerge de cette structure compliquée (c'était ainsi pour Louis Jolliet dans *Né à Québec*), nous pressentons bien entendu toute la fragilité en même temps que la témérité du héros qui ose défier l'inconnu, mais nous avons davantage l'illusion d'entrer alors dans un monde à part, à cause de la ferveur, de la vie frémissante qui anime ces pages. Tension soudain fondue en rêverie, c'est aussi le mouvement même de la narration. Il arrive en effet qu'une suite de phrases rageuses, incisives, statiques, où s'entrechoquent des sonorités métalliques, s'achève sur une évocation imprévue: surgit une image qui détruit l'espèce de fixité antérieure, libérant les pouvoirs de la suggestion. Le texte acquiert ainsi un élan, un avenir.

Tout compte fait, l'écriture robuste et percutante de Grandbois contribue efficacement à la réussite de l'entreprise. Une écriture-matière, comme on l'a dit de celle de Pieyre de Mandiargues, gravée à coups de stylet d'une main volontaire et précise. Peu de signes. De fréquents condensés. Car Grandbois, au risque d'imposer une certaine rigidité, resserre, comprime, ainsi quand il brusque le cours du temps, tout superflu rejeté. Aboli, ce lyrisme informe et délayé qui abonde chez Antonio Aniante, auteur d'un *Marco Polo* qu'il serait peut-être utile de comparer un jour (et avec lui tous les ouvrages correspondants) au livre de notre poète. Une telle étude mettrait en évidence, nous n'en doutons pas, l'originalité de Grandbois.

D'autres questions mériteraient aussi un examen, ne serait-ce que pour mieux mesurer l'intérêt des *Voyages de Marco Polo*. En voici quelques-unes, en vrac: les symboliques de la pourpre et du feu, de la fête, du centre et du cercle; l'attrait qu'exercent le règne minéral, la vie souterraine; le thème des frères rivaux, de la révolte contre le Père; le refus de toute domination; l'acharnement, l'ardeur à vivre; le temps destructeur et la nostalgie de la permanence; l'ironie, la dérision et le scepticisme; la recherche de la justice — comme en fait foi cette réflexion désabusée qui interrompt soudain le récit: *Comme si l'on pouvait jamais réparer l'injustice!*

Autant de problèmes dont l'examen servirait peut-être à éclairer d'un jour nouveau certaines parties de l'œuvre poétique.

Mais pourquoi tant de complications ? Faut-il toujours céder au démon de l'analyse ? Que l'humble lecteur ne s'embarrasse pas de ces préoccupations. Qu'il lise, naïvement, le récit exact et fervent d'une aventure prodigieuse. Tout au plus remarquera-t-il (mais n'est-ce pas là l'essentiel ?) que ce livre reste d'actualité. Rien n'a changé: des génocides se pratiquent pour ainsi dire sous nos yeux; la tyrannie sévit d'un continent à l'autre; les principes les plus élémentaires de la dignité humaine sont ignorés et ceux qui les incarnent, sacrifiés. Aujourd'hui comme hier, constate Alain Grandbois dans son avant-propos, *la nature de l'homme demeure immuable et secrète.*

Jacques Blais

9

Avant-propos

CE LIVRE n'est pas un ouvrage scientifique, ni la biographie de Marco Polo, mais un simple récit des voyages du Vénitien et des événements qui touchent plus particulièrement son époque. Pour ces raisons, et parce que la toponymie des villes et des royaumes, et souvent même leur topographie, ont changé de nombreuses fois au cours des siècles, nous n'avons pas cru devoir dresser la carte de ces itinéraires. D'ailleurs les savants qui, depuis cinquante ans, ont tenté de suivre pas à pas les traces de Polo, n'ont pu toujours s'accorder et l'on discute encore, par exemple, de la route qu'il suivit pour traverser le désert de Gobi. Nous avons adopté sur ces points, et parce qu'elle nous apparaissait la plus plausible, la direction générale des travaux de l'Anglais H. Yule et celle du Français H. Charignon. Harold Lamb, Henry H. Howorth et Joachim Barckhausen nous ont fourni sur l'Empire Mongol la richesse inépuisable de leurs études.

Tout cet intérêt suscité jadis par le livre de Marco Polo peut aujourd'hui nous sembler désuet. Les distances ne comptent plus. L'espace est aboli. New York apprend à l'aube le dernier cauchemar nocturne de Pékin. Et d'autres génies du mal, plus cruellement dévastateurs peut-être, ont remplacé Genghis-Khan. Mais la nature de l'homme demeure immuable et secrète. Le géographe Walkenuer affirme que trois hommes, plus que tous les autres, ont contribué à la connaissance du globe, et partant, à celle de l'homme: Alexandre, Marco Polo, Christophe Colomb.

A. G.

11

CHAPITRE PREMIER

LES PREMIERS Polo, les ancêtres, tiraient leur origine de la Dalmatie. Ils étaient nobles, gens de mer, et habitaient Sebenico, petite ville indépendante et suspendue, comme un nid d'aigle, aux sombres falaises de la Kerka. Derrière la ville, une immense plaine brûlée par le siroco rejoignait les premiers vallonnements des montagnes. On y eût en vain cherché une mare, un brin d'herbe. L'eau des rares pluies qui tombaient en violence était aussitôt aspirée par un sol goulu et s'y volatilisait instantanément. Des montagnes arides bornaient l'horizon. Mais l'Adriatique s'étendait au pied de Sebenico, et seule, la trouée d'acier du gave de la Kerka partageait, pour un moment, la splendeur pâle et verte et sans fin de la mer.

Les habitants de Sebenico pêchaient l'éponge, le thon, vivaient d'échanges, de cabotage, de pillages. Surtout, de piraterie. Les chefs qui dirigeaient la république étaient choisis parmi les marins les plus audacieux. Ils allaient guetter, le long des côtes dalmates, à Zara, à Spolète, à Raguse, la sortie des ports riches, surprenaient les bateaux isolés, les brusquaient, s'en emparaient, et ramenaient leurs prises aux acclamations de la po-

13

pulation. Et pour des jours et des nuits, sous le soleil, à la lueur des torches, la ripaille des gens de Sebenico remplissait la ville de ses rumeurs.

Cependant, certains capitaines exigeaient de plus vastes opérations. Ils mettaient alors le cap au nord-ouest, franchissaient la mer. Et là, à l'abri des côtes italiennes, ils attendaient patiemment le passage des lourdes galéasses de Venise rejoignant Pesaro, Rimini, Macerata, Bari. Et ils fonçaient soudain sur les belles proies convoitées. Longtemps, le jeu leur fut favorable. Mais Venise se fâcha. Elle porta, sans succès, et à maintes reprises, la guerre à Sebenico. Les gens de Sebenico se retranchaient dans leur nid d'aigle, riaient. Les vents les protégeaient, dispersaient les flottilles ennemies, les écrasaient sur les récifs de la côte. On disait à Sebenico : « Les capitaines de Venise nous chérissent tant que non seulement ils viennent nous livrer leurs galères, mais ils prennent encore le souci d'en disjoindre les pièces, afin que nous puissions les rassembler selon notre convenance. » Mais les vents tournent. Vers la fin du Xe siècle, le doge Pierre Orseolo II arma une flotte nombreuse et réduisit toutes les villes maritimes de la Dalmatie.

Pendant longtemps, les habitants de Sebenico, rongeant leur frein — chez eux, le sang slave se mêlait au sang grec, au sang d'Italie — feignirent de se résigner. Ils épiaient chez l'oppresseur un signe de faiblesse, un mouvement d'inattention, la dangereuse sécurité d'une conquête définitive. Ils se rebellèrent, croyant le moment venu. Venise était sur ses gardes; la répression fut prompte et dure. Enfin, de guerre lasse, les principaux capitaines de Sebenico, privés de leur commandement, contraints à l'inaction, murés dans leur ville comme dans une tour, regrettant la haute mer et ses aventures, finirent par se rallier à l'ennemi. Certains même allèrent s'établir à Venise. Les Polo furent de ce nombre.

* * *

L'Adriatique possédait son miracle: Venise. A l'origine, cette lagune pestilentielle, semée de soixante-dix îles désertes, avait servi de refuge à des familles d'Aquilée et de Padoue qui fuyaient la sauvage fureur d'Attila. Nul n'eût songé de les poursuivre au fond de ces mornes marais. D'autres réfugiés se joignirent plus tard à ces premiers occupants. Malgré la brûlure des fièvres, la pauvreté de la région, ils préféraient ces marécages à l'anarchie d'une Europe ensanglantée par d'interminables guerres et cernée de tous côtés par les Barbares.

Avec le temps, la colonie se fit de plus en plus importante. Des maisons, bâties sur pilotis, s'élevèrent aux rivages des îles. On relia celles-ci par des ponts. Chacune d'elles, jusqu'alors, possédait son chef autonome. Au VIIIe siècle, elles s'assemblèrent, se choisirent un chef unique, qui eut le titre de doge, ou duc, et la république fut proclamée. Elle faisait partie de l'Empire d'Orient.

On construisit une flotte. D'abord pour la pêche, les échanges, le commerce. Puis on arma des galères. Au Xe siècle, libérée de la suzeraineté d'Orient, Venise commença ses conquêtes territoriales. L'asservissement des ports dalmates et des principales villes de l'Istrée fut le premier jalon de sa puissance naissante. Vinrent les Croisades. Venise loua ses navires aux Barons. Les capitaines vénitiens profitaient de chaque escale pour établir les bases d'un commerce fructueux. Elle rivalisa bientôt, et avec bonheur, avec Pise, avec Gênes. Elle convoitait les richesses de l'Est.

En 1117, à la suite de secours fournis aux croisés, le doge Micheli s'attribua le droit de souveraineté sur Tyr et sur Ascalon. Plus tard, Venise s'allia à la ligue des Guelfes, qui soutenaient la papauté et l'indépendance des villes italiennes contre l'Empire de Frédéric Barberousse. Vaincu, l'empereur germanique dut se rendre à Venise, où il fit amende honorable au pape Alexandre III. Le Pape remit alors au doge un anneau « qu'il devait jeter tous les ans dans la mer comme symbole de son union avec cet élément qui devait lui être soumis comme l'épouse l'est à l'époux ».

Sous le doge Dandolo, Venise s'enrichit davantage encore. Dandolo avait été élu en 1192, à l'âge de quatre-vingt-deux ans. Vingt ans auparavant, chargé de mission auprès de Michel Comnène, empereur de Byzance (Constantinople), celui-ci lui avait fait brûler les yeux. Dandolo pleurait ses yeux morts, ruminait sa vengeance.

La IVe croisade s'organisait, prêchée par Foulques de Neuilly, soutenue par Innocent III. Venise en réunit les principaux chefs: Baudouin de Flandre, Boniface de Montferrat, Thibaud de Champagne, Conon de Béthune, Geoffroy de Villehardouin, d'autres encore. Dandolo leur promit ses navires, qu'il dirigerait lui-même, tandis que les croisés s'engageaient à lui livrer, avant le départ, la somme énorme de plus d'un million de ducats. Les préparatifs terminés, les barons ne purent trouver l'or. Ils s'affolèrent, voyant l'expédition manquée, leur salut en péril. N'avaient-ils point fait le serment de délivrer le Saint-Sépulcre des mains de l'infidèle ! Dandolo, secrètement, se réjouissait. Il avait prévu, escompté le dédit. Il pouvait maintenant tenter d'assouvir sa haine.

Alors il exigea de ses débiteurs qu'ils l'aidassent à mater la révolte de Zara, en Dalmatie. Les croisés assiégèrent et détruisirent Zara de fond en comble. A cette nouvelle, le pape ne put réprimer sa douleur, clama son indignation, lança des anathèmes. Zara était une ville chrétienne, très attachée aux Etats de l'Eglise. Mais les croisés, Dandolo en tête, sur la galère ducale, déjà s'éloignaient, gagnaient la Méditerranée.

Dandolo était persuasif. En route, il convainquit ses compagnons qu'il leur fallait délivrer Constantinople d'un tyran, Alexis III, qui s'était emparé du trône de son frère, après lui avoir fait crever les yeux, (il se souvenait, lui, Dandolo, de l'effroyable supplice, subi dans la même ville) et que le fils d'Isaac l'Ange, le dépossédé, n'attendait que leur aide pour obtenir justice. De plus, ajoutait le doge, cet Alexis se posait en champion du schisme grec, et lui, Dandolo, possédait cette promesse formelle du fils de la victime que, si on le rétablissait sur le trône, il ramènerait son peuple à l'Eglise et au rite romains. Les barons hésitaient. Certains, d'abord, refusèrent. Ils avaient pris la croix, disaient-ils, pour sauver Jérusalem et en rémission de leurs péchés. Qu'avaient-ils à prendre parti dans la querelle de famille des empereurs d'Orient ? Et pouvaient-ils compromettre le succès de la sainte croisade dans une expédition aussi hasardeuse ? Et pour rejoindre Constantinople, ne fallait-il pas s'écarter, et de loin, du chemin de Saint-Jean-d'Acre ? ... Mais il y avait l'or promis, et point livré. Et surtout, ce regard éteint de Dandolo, plus froid, plus dur, plus impérieux, du fond de sa nuit.

L'armée des croisés comptait vingt mille hommes. Soixante-dix mille Grecs défendaient Constantinople. Constantinople fut enlevée, mise à sac, Isaac l'Ange délivré de ses fers, son fils installé sur le trône sous le nom d'Alexis IV, et le schisme grec aboli. L'usurpateur avait pris la fuite. Les barons et leurs gens d'armes établirent leurs quartiers dans les somptueux jardins de Péra et de Galata. Des semaines, des mois s'écoulèrent. Le temps, l'inaction, la langueur du climat, les richesses qu'ils avaient ti-rées du pillage, les belles Grecques des faubourgs qui venaient rôder, le soir, autour des feux de camp, tout contribuait à dimi-nuer l'ardeur des croisés. Ils engraissaient, s'amollissaient. Ils ou-bliaient Jérusalem. Les galères de Dandolo, mouillées dans le golfe, ne songeaient plus à appareiller.

A Constantinople, Alexis IV régnait conjointement avec son père l'Aveugle. Ils durent imposer à leur peuple de lourdes char-ges. Il leur fallait entretenir les troupes des Latins, réparer les dégâts causés par le siège, subvenir aux besoins des équipages de Dandolo. Des mécontents commencèrent de s'agiter. A leur tête, un aventurier de la famille princière des Ducas, Alexis Murzuphle, exploitait à la fois dans le public la rigueur des im-pôts et le schisme interdit. Soudain, foudroyante, la révolte écla-ta. Murzuphle enleva d'assaut le palais impérial, fit étrangler le souverain et Isaac l'Ange, et se fit couronner sous le nom d'Alexis V. Dandolo commanda aux croisés d'attaquer immédiatement la ville, pendant que ses galères envahissaient le port. Les vingt tours de Constantinople furent forcées, prises, la ville réduite. D'innombrables byzantins furent passés au fil de l'épée. Murzu-phle fut saisi, on lui creva les yeux, on le précipita, par dérision, du haut de la colonne de Théodose sur la place ornée de fontaines d'albâtre et de marbre. Le pillage fut frénétique. On dévastait les bazars, les gymnases, les églises, les palais, puis on les livrait aux flammes. Pendant des jours, un immense incendie empourpra les eaux de la Corne-d'Or.

Les chefs se réunirent et décidèrent de fonder un Empire latin dont la capitale serait Constantinople. Ils offrirent la couronne impériale à Dandolo, qui la refusa. Sa vengeance était satisfaite. Il regrettait Venise, les cloches de Saint-Marc, le chant de ses bateliers, ses gondoles noires, ses canaux silencieux, ses palais suspendus sur des eaux que la nuit emplissait de rêve.

Baudouin de Flandre fut sacré empereur de Constantinople; Boniface de Montferrat devint roi de Thessalonique; Geoffroy de Villehardouin reçut le fief de Messinople. Mais Dandolo s'était taillé la part du lion. Il apportait à Venise, Négrepont, Candie, les ports de la Morée, la plus grande partie des îles de l'Archipel, dont les Cyclades et les Sporades, et un quart de Constantinople. En outre, ses galères regorgeaient d'une foule de chefs-d'œuvre de l'art byzantin.

Cependant Jérusalem attendait toujours sa délivrance.

* * *

A la mort de Dandolo, Venise commandait l'Adriatique entière. Elle avait établi des comptoirs tout le long des côtes de la péninsule grecque. Ses négociants transportaient de Venise à Constantinople les marchandises d'Occident, et de Constantinople en Europe les denrées du Levant. Cette croisade manquée, perfidement dirigée à son profit, en lui donnant la prépondérance en Orient, avait écarté d'elle sa plus dangereuse rivale, Gênes, qui devait maintenant lui payer franchise pour trafiquer dans les ports de l'Est. Pise subissait un tribut identique. Marseille même voyait diminuer le nombre de ses pèlerins de Terre Sainte, que Venise accaparait.

Les armateurs de Venise chargeaient aux pèlerins, pour le voyage de mer, la somme de cinquante ducats d'argent. Mais ceux-ci devaient payer en outre les droits, tributs et impôts de toutes sortes qui les attendaient aux escales, ainsi que les dépenses auxquelles ils étaient astreints depuis Jaffa, où ils quittaient définitivement le bord, jusqu'à Jérusalem. Ils faisaient escale à Zara la Pieuse, à Corfou, que huit kilomètres à peine séparaient de la terre continentale, à Rhodes, peuplée de monastères et de couvents enfouis sous les roses, et où dans l'église de Saint-Jean, fleurissaient chaque printemps, non loin du coffret contenant les trente deniers de Judas, deux épines de la Couronne du Christ.

Venise s'enrichissait. Ses marchands se faisaient armateurs, ses capitaines fondaient des comptoirs. La famille des Polo brillait au premier rang du négoce proche-oriental. Constantinople conquise, Andréa Polo vint s'y installer. Il jouissait d'une grande réputation à Venise, où sa bravoure et son audace étaient légendaires. Le palais qu'il habitait, dans le quartier San-Felice, comptait parmi les plus beaux de la ville. Ses comptoirs étaient florissants. Ses galères battaient pavillon à ses armes. Il eut deux fils, Nicolas et Matteo, dont la ressemblance était si parfaite que l'on ne pouvait les distinguer l'un de l'autre. Ils vivaient tantôt à Venise, tantôt à Constantinople.

CHAPITRE II

Le vieil Andréa mort, ses fils lui succédèrent dans ses biens. Ils étaient grands, robustes, aimaient la richesse, mais plus encore l'aventure, l'inconnu. L'accumulation de l'argent et la puissance illusoire qu'il apporte ne satisfaisaient point leur ambition. Appartenant à une époque violente et colorée, ils possédaient trop d'imagination pour se satisfaire de l'accroissement de leur flotte, du nombre de leurs palais, des plaisirs du gain et de la jouissance du luxe.

En 1253, Nicolas, le cadet, épousait une jeune fille de Venise qui se nommait Béatrix. Après avoir passé quelques semaines dans leur palais de San-Felice, Béatrix devint enceinte et les jeunes époux se séparèrent. Nicolas regagna Constantinople avec Matteo. Ils caressaient depuis longtemps le projet d'un long voyage en Asie.

L'Empire latin d'Orient durait depuis bientôt cinquante ans. Des vicissitudes sans nombre l'avaient accablé. Deux ans à peine après le sacre, Baudouin I était torturé et mis à mort par Joannice, roi des Bulgares, qui l'avait surpris faisant le siège d'Andrinople en révolte. La famille des Courtenay, alliée à la maison royale de France, s'était alors emparée de la couronne impériale. Pierre de Courtenay, son premier titulaire, mourut avant de pouvoir s'installer sur le trône. Son fils Robert fut chassé par ses sujets après neuf ans d'un règne laborieux. Un troisième Courtenay régna, Baudouin II, faible, inquiet, harcelé de toutes parts par les mécontents, les factieux, les agitateurs. Les principautés franques s'affaiblissaient dans d'interminables querelles. La croisade de saint Louis, dirigée contre l'Egypte, avait échoué, vaincue par la peste, et le grand roi, prisonnier, avait dû fournir une sévère rançon. Les Musulmans regagnaient peu à peu le terrain perdu. A Constantinople, les Grecs s'agitaient de nouveau. Un Paléologue, descendant de l'une des plus illustres familles byzantines, ourdissait des complots, rassemblait des mercenaires. Il s'était assuré le concours de Gênes, que le bonheur de Venise humiliait mortellement.

* * *

Les frères Polo quittèrent Constantinople au début de 1260. Ils se dirigèrent vers la mer Noire, que les Tartares occupaient. Ils apportaient des joyaux pour la facilité des échanges. Ils n'avaient point de but très précis à leur voyage, sauf celui de pénétrer dans des pays que les légendes s'accordaient à rendre étranges et confus. Ils partaient remplis de curiosité, et le cœur et le sang satisfaits. Béatrix avait donné un fils à Nicolas, baptisé sous le nom de Marco, en l'honneur de Marc l'évangéliste, patron de Venise, qui s'enorgueillissait de posséder les reliques du saint et s'était approprié son emblème, le lion ailé. Nicolas n'avait jamais vu son fils.

Le navire qui les portait les déposa à Soudagh, dans le sud de la Crimée. De là, après des jours de cheval, ils atteignirent Saraï, ville du bas Volga, qui s'élevait au milieu d'une grande plaine saline. Saraï était riche et très peuplée; toutes les races d'Asie s'y rencontraient: Mongols, Russes, Kirghiz, Kalmouks, Alains, Tadjiks, Circassiens, Persans. On y trouvait aussi des Grecs, des Arabes et des Juifs. Barka, petit-fils de Genghis-Khan, et khan des Tartares du Levant, (ou du Kiptchak) reçut les voyageurs avec égards. Il habitait au centre de Saraï un immense palais ceint de murailles défendues par des tours. Son hospitalité était fastueuse. Lorsque les Polo voulurent poursuivre leur route, Barka les retint, inventant mille stratagèmes, mille divertissements pour leur plaire. Ils vivaient à sa cour depuis bientôt un an quand, au sujet d'une province limitrophe, la guerre éclata entre Barka et Houlagou, Khan des Tartares du Couchant.

Les deux rois — cousins germains — disposaient chacun de trois cent mille hommes à cheval. Trois cent mille cavaliers foncèrent contre trois cent mille cavaliers. Durant les premières heures de l'engagement, les flèches innombrables voilèrent le ciel. Quand les carquois furent épuisés, les combattants pointèrent leurs lances, brandirent leurs glaives. La bataille dura trois jours et trois nuits. La plaine verte était devenue pourpre. Le dernier jour, au crépuscule, après des prodiges de valeur que le sort voulut vains, Barka, défait, dut fuir.

Après avoir accompagné le vaincu à Bolghar, sur la rive gauche du Volga, où il espérait rassembler ses forces éparses, les Polo lui firent leurs adieux, et se dirigèrent vers le nord-est. Ils eurent bientôt dépassé Oukak, la dernière ville du royaume de Barka. Ils s'engagèrent alors dans un désert d'une saisissante blancheur où seules quelques tentes tartares brisaient l'ondulation monotone des sables. Ils voyagèrent ainsi pendant dix-sept jours. Et Boukhara leur apparut.

Boukhara avait été la Rome de l'Islam. Elle avait compté trois cent soixante mosquées, de nombreuses écoles de théologie, de droit, de médecine, et plus de soixante collèges. La légende boukhare prétendait que Mahomet s'était écrié, avant de disparaître dans le ciel: « Partout ailleurs, sur la Terre, la lumière descend d'en haut; mais elle monte de Boukhara. » Les hordes de Genghis avaient tout saccagé. Un arrière-petit-fils du conquérant, Borak, régnait sur la ville. Il accueillit les Polo, les logea dans son palais. A cause des guerriers, ils furent forcés d'y demeurer près de trois ans. Ils surent vite parler couramment la langue mongole.

Des ambassadeurs du roi Houlagou passèrent un jour par la ville. Ils se rendaient à la cour de Koubilaï, Khan de tous les khans du monde. Ils rencontrèrent les deux frères, les prièrent de les accompagner. « Le grand Koubilaï », disaient-ils, « n'a jamais vu aucun Latin, et a grand désir d'en voir; si vous voulez venir avec nous jusque vers lui, soyez certains qu'il vous verra volontiers, vous fera grand honneur et grand bien. Vous pourrez venir avec nous sans être inquiétés par personne. » Les Polo chevauchèrent avec les envoyés pendant douze mois. Quand ils s'inclinèrent devant Koubilaï, celui-ci s'avança vers eux, s'empara de leurs mains, et congédiant ses barons, les fit asseoir à ses côtés. Les questions se précipitèrent sur ses lèvres. L'entretien dura des heures. Il s'étonnait de la variété de leurs connaissances, et qu'ils sussent aussi bien s'exprimer dans la langue tartare.

* * *

Dans les jours qui suivirent, les Polo virent se multiplier les audiences de Koubilaï. Celui-ci les traitait en familiers, avec les égards dus aux princes du sang. Nul sujet que l'Empereur n'abordât: de la puissance des rois d'Occident, de la façon dont ils administraient leurs terres, comment ils rendaient la justice, comment ils livraient bataille, quels étaient les termes ordinaires de la paix, s'ils avaient la jouissance de plusieurs épouses, s'ils possédaient des arts différents de ceux de son pays. Koubilaï, sur ses doigts, les énuméra: les rites, la musique, le tir à l'arc, l'équitation, l'écriture, l'arithmétique. En Occident, répondirent les Polo, les Docteurs en mentionnaient sept: la grammaire, la logique, la rhétorique, l'arithmétique, la géométrie, la musique et l'astronomie.

Mais Koubilaï s'intéressait surtout au Chef de la Chrétienté. Il le nommait l'Apostole, à la façon des écrivains latins du Moyen Age, dont on lui avait lu des récits. Les Polo racontèrent le rôle suprême du pape, qu'il détenait du Seigneur Jésus-Christ, la grandeur de sa mission, l'influence de son autorité, comment les princes et les rois recherchaient son appui, et comment sa puissance temporelle, maîtrisant et dirigeant en quelque sorte les hommes, pouvait aider à l'expansion et à la gloire des vérités spirituelles. Ils parlèrent de la divinité du Christ, des préceptes, des principes, des lois, du dogme de la religion

24

catholique et romaine. Ils disaient l'âme immortelle, le péché qui la condamnait, la grâce qui la délivrait, les peines et les joies de son éternité. Le Pape détenait les clefs de l'unique Vérité.

En matière de religion, les Mongols s'étaient toujours montrés d'une profonde indifférence. Sans hostilité. Ils n'avaient point l'âme mystique. Ils ne recherchaient pas d'explications aux phénomènes qui échappent aux sens. Ce peuple fruste et dur bornait son besoin du mystérieux à quelques actes de sorcellerie soigneusement préparés par des magiciens qui tenaient leur art des leçons de certains Yoghis de l'Inde. Des khans d'Occident avaient embrassé l'islamisme, mais sans conviction, sans ferveur, pour des intérêts d'alliances et de politique. On disait cependant que la mère de Koubilaï avait été chrétienne.

Koubilaï paraissait ébranlé. La foi le touchait-il ? Ou supputait-il les avantages d'un rapprochement, lui, le maître de l'Asie, avec le chef suprême de l'Europe ? Il chargea les Polo d'une ambassade auprès de Clément IV, qui régnait à Rome, et leur enjoignit un de ses barons nommé Cogital. Il leur confia une lettre dans laquelle il mandait au Pape « que s'il voulait lui envoyer jusqu'à cent hommes instruits de notre loi chrétienne, connaissant les sept arts et sachant bien discuter et démontrer clairement aux idolâtres et autres gens avec lesquels ils converseraient, par la force du raisonnement, comme la loi du Christ était la meilleure, que toutes les autres lois sont mauvaises et fausses, et que, s'ils prouvaient cela, lui (le Grand-Khan) et tous ceux sur lesquels il a pouvoir deviendraient chrétiens et hommes-liges de l'Eglise. Il les chargea en outre de lui rapporter de l'huile de la lampe qui brûle sur le sépulcre de Notre-Seigneur à Jérusalem. »

Les trois ambassadeurs reçurent de Koubilaï des tablettes d'or sur lesquelles étaient gravées ses instructions, et qui ordonnaient aux seigneurs des pays d'Asie qu'ils devaient traverser de leur fournir tout ce dont ils auraient besoin, hommes, vivres, chevaux, et de satisfaire à tous leurs désirs. La moindre infraction à ces volontés devait être punie de la peine de mort.

Ils avaient pris depuis peu la route du retour quand Cogital tomba malade. Ils s'arrêtèrent dans une ville pour les soins essen-

tiels. Des hommes versés dans la médecine virent le Tartare, le
traitèrent. Le mal s'aggrava. Les docteurs, consultés, exigèrent
un long repos. Les deux frères durent abandonner leur compagnon, et continuer seuls le voyage.

Des mois passèrent, des saisons. Les Polo descendaient toujours vers le sud-ouest. Des guerres, des avalanches, des pluies,
le débordement des fleuves interrompaient leur course. Ils attendaient que le fléau fût passé, repartaient, plus lourdement
chargés des présents dont les seigneurs les comblaient. Ils atteignirent enfin Layas, sur le golfe d'Alexandrette, puis Saint-Jeand'Acre. Ils avaient quitté la Cour de Koubilaï depuis trois ans.

* * *

Dans le palais de San-Felice, à Venise, Béatrix voyait son
fils grandir. Elle vivait seule, claustrée dans son étrange veuvage, priant saint Marc, saint Georges, pour le retour de Nicolas. Le visage de Nicolas s'effaçait peu à peu de sa mémoire,
rejoignant des souvenirs si lointains qu'elle doutait souvent qu'ils
eussent jamais existé. Elle se penchait parfois sur son fils, le
pressait violemment contre elle. Puis s'agenouillant, elle écartait
de sa main les mèches bouclées de Marco, scrutait ce front
lisse, ce regard étonné, ces tendres joues, ces lèvres entrouvertes,
cherchant le trait furtif, la ressemblance profonde. Mais il lui
eût fallu brunir ces cheveux, durcir ce front, creuser ces yeux,
recouvrir ces joues d'un poil brillant et noir, rougir d'un sang
plus chaud ces lèvres enfantines. Elle se réfugiait alors dans son
oratoire, pleurait. L'image de Nicolas paraissait se fondre dans
un brouillard que rien ne pouvait plus dissiper.

Durant les premières années de son absence, des navigateurs étaient venus frapper à la porte du palais. Ils rapportaient
que les voyageurs avaient été aperçus sur les côtes d'Asie, dans
les ports de la mer Noire. « Ils sont bien, disaient-ils, et ils poursuivent... » Béatrix entendait décroître leurs pas sur les dalles de
la ruelle, et quand le silence n'était plus rompu que par le léger clapotis du canal, un immense espoir s'emparait alors d'elle,
envahissait son cœur, le gonflait à le briser. Car elle se répétait
que si chaque jour l'éloignait d'elle dans l'espace, chaque jour

aussi le rapprochait d'elle dans le temps. Et elle demeurait longtemps rêveuse, pensive, tendue, refermée sur son bonheur, goû-
tant son bonheur à petites doses, secrètement, jalousement, comme un avare compte son or.

Mais les capitaines se firent de plus en plus rares. Un jour,
ils ne vinrent plus. Et elle ne parvint plus à recréer les traits de
Nicolas. Elle s'étiolait, devenait diaphane. Elle était veuve.

Marco se révélait de sang chaud et vif. Il négligeait les jeux
de ses camarades, fuyait vers l'arsenal où rougeoyaient les for-
ges, vers le port où, battant tous les pavillons d'Occident, grouillaient les felouques, les tartanes, les galiotes, les gabares, les
caravelles. Il rêvait d'une galère déchirant soudain la mer des
mâts et qui s'avançait, lentement, avec, debout, en tête de proue,
un homme fabuleux qui lui tendait les bras. Il atteignait ses quatorze ans quand sa mère s'éteignit. Béatrix croyant entendre
l'appel de Nicolas, le rejoignait. Une vieille parente prit charge
du palais. Lui, Marco, le déserta. Il vivait sur le port, partageant
les travaux, les plaisirs des mousses, des mariniers. Parfois un
capitaine le prenait à son bord et il naviguait pour des jours
sur les eaux vertes de l'Adriatique.

* * *

Les deux frères apprirent à Saint-Jean-d'Acre la mort de
Clément IV. Ils coururent chez Thibaud, légat d'Egypte, afin
de lui rendre compte de leur ambassade. Le légat était un homme de grandes vues, et d'une autorité considérable dans les affaires d'Orient. Il saisit tout de suite l'extrême importance de la
mission des Polo. La chrétienté traversait alors les plus dures
épreuves. L'Empire latin s'était effondré avec la prise de Constantinople par Michel Paléologue. En Syrie, les places fortes des
Francs succombaient une à une sous les poussées musulmanes.
La croisade de saint Louis avait été un échec. Saint Louis préparait une seconde croisade dirigée contre Tunis. Mais on doutait
du succès de cette campagne, et Clément IV lui-même, avant sa
mort, avait tenu le projet pour imprudent, et déclaré qu'il fallait
ménager le meilleur des sangs, reprendre des forces, que les
temps n'étaient pas venus. Or, une alliance de Rome avec Kou-

bilaï pouvait changer la face du monde. Le poids de l'Europe, le poids de l'Asie, contre l'insolente audace de l'Islam ! La terre entière sous la loi du Christ !

Le légat promit aux deux frères d'appuyer de toute son influence les propositions du Grand-Khan. Il fallait cependant attendre, ajouta-t-il, que le nouveau pape fût élu. Et l'élection s'annonçait difficile. Mais le légat souriait: il était italien, de Plaisance, ville que le parti des Guelfes avait rendu célèbre.

Les Polo frétèrent un bateau pour Venise.

CHAPITRE III

Les Polo descendirent de leur galère devant la place de Saint-Marc. Des gens s'étaient attroupés. Ils regardaient avec étonnement ces deux étrangers à la mine identique, vêtus de façon bizarre, et que suivaient de petits hommes jaunes, noirs, aux yeux luisants, à turbans multicolores, portant des ballots d'étoffes lourdes, des coffres de bois de santal, des cassettes incrustées d'argent, de nacre, des cages d'oiseaux inconnus et bruyants, tenant en laisse des singes, des léopards, des panthères, dons fastueux des princes d'Asie. Soudain, dans la foule, quelqu'un vit battre, au mât principal du navire, le pavillon barré d'argent sur champ d'azur, comportant trois corneilles de sable, reconnut les armes, s'écria: « Les fils d'Andréa, du grand et terrible Andréa Polo ! » La foule répéta le nom fameux, rappelant le départ des deux frères, et qu'ils s'étaient enfoncés dans des régions mystérieuses et lointaines, et le long silence qui avait suivi leur disparition. On les avait oubliés, on les avait crus morts. Et voilà que...

Les Polo se hâtèrent vers le palais de San-Felice. La foule qui les avait suivis grossissait, leur faisait cortège, se pressait sur l'étroite bordure du canal, se faisant plus muette à mesure que les frères s'approchaient du palais. Ils l'atteignirent, secouèrent le marteau de bronze, inquiets déjà du singulier silence de cette foule, de cette attente où les secondes pesaient plus sur le temps que leurs quinze années d'absence. Un judas grillé glissa, se referma, il y eut encore d'interminables instants, et la lourde porte s'ouvrit. Ils bousculèrent le valet, s'élancèrent à travers les vastes salles, sûrs maintenant de la présence du malheur, gagnèrent les appartements de Béatrix qu'ils trouvèrent fermés, et parvinrent enfin à une pièce où la vieille parente, devant un feu, une chambrière à ses pieds, égrenait un chapelet. A leur vu, elle demeura interdite, voulut crier. Puis elle les reconnut. Les yeux des Polo ! Mais elle ne savait distinguer Matteo de Nicolas. Alors ses mains se mirent à trembler. Elle gémissait en répétant: « La Signora... la Signora... » Et elle reconnut celui qui était Nicolas à la pâleur soudaine de son visage.

On fit rechercher Marco. Il était disparu depuis des jours. Certains prétendirent qu'il était là-bas, sur la lagune, près des dernières îles, avec des pêcheurs. Il parut dans la nuit. Quand il vit les deux hommes, il s'arrêta sur le seuil de la porte. Il était grand, mince, brun, la face déjà durcie par le soleil, les vents; la lueur des torches enflammait ses cheveux bouclés. Nicolas s'avança vers son fils, posa ses deux mains sur ses épaules, le tint longuement ainsi, immobile, silencieux, cherchant à son tour, avidement, sur ce visage, les traits perdus de la morte.

* * *

Deux ans passèrent. Les Polo s'impatientaient. On ne réussissait pas à s'accorder sur le choix du Pontife. Les Italiens réclamaient un pape italien; les Allemands boudaient; les Espagnols criaient, s'agitaient; les Anglais, énigmatiques, tenaient de secrets conciliabules; les Français poursuivaient des intrigues commencées dès la maladie de Clément IV. On décida de se confier à la sagesse de Jean de Fidanza, poète, philosophe, théologien célèbre, général de l'ordre de saint François. Il était toscan, de Bagnarea, avait étudié et professé à Paris, et publié plusieurs ouvrages d'une rare élévation. Grand ami de Thomas d'Aquin, il avait voué ses talents à la propagation du culte de la Vierge. On le connaissait sous le nom de Bonaventure.

Dans le même temps, une nouvelle vint mettre le monde chrétien en émoi. A Tunis, devant Carthage, Louis IX avait été soudain emporté par la peste. Le confesseur de la reine Marguerite rapportait ainsi cette mort: « Le benoît roi requit l'extrême-onction et reçut les saintes huiles avant que la parole lui manquât; à la fin, il resta quatre jours sans parler, mais il avait alors bonne mémoire, tendant ses mains jointes au ciel, et battant parfois sa poitrine, reconnaissant ses gens, à ce qu'il paraissait par les signes qu'il faisait; il mangeait et buvait quelque peu... Quand les autres disaient les Psaumes, et pendant qu'on lui mettait les saintes huiles, le saint roi remuait les lèvres. Le dimanche, jour avant sa mort, frère Geoffroy de Beaulieu lui porta le corps de Jésus-Christ, et lorsqu'il entra dans la chambre où gisait le benoît roi malade, celui-ci se leva, et à genoux, mains jointes près de son lit, se confessa au dit frère et reçut Notre-Seigneur. La nuit d'avant le jour où il trépassa, pendant qu'il se reposait, il soupira, et dit tout bas: « O Jérusalem! ô Jérusalem! », et le lundi, lendemain de la Saint-Barthélemy, le saint roi tendit ses mains jointes au ciel, et dit: « Beau sire Dieu, aie pitié de ce peuple qui demeure ici, et conduis-le en son pays, qu'il ne tombe pas aux mains de ses ennemis, et ne soit pas contraint à renier ton très saint nom. » Après quelque temps, le benoît roi dit ces paroles en latin: « Père, je remets mon esprit en ta garde. » Cela dit, il ne parla plus mais peu après, il trépassa de ce monde vers Notre-Seigneur, le lendemain de la fête du bienheureux apôtre saint Barthélemy, en l'an de grâce 1270, vers l'heure de none (trois heures de l'après-midi), en laquelle le Fils de Dieu Jésus-Christ mourut en croix pour la vie du monde. »

Saint-Jean-d'Acre demeurait la seule ville qui fût encore aux mains des Croisés. Les Polo quittèrent Venise et s'y rendirent, emmenant Marco.

* * *

Thibaud de Plaisance était d'avis que l'élection du Souverain ne saurait dès lors beaucoup tarder. Il comprenait l'impa-

31

tience des deux frères, mais qu'y pouvait-il ? Entre temps, pourquoi n'iraient-ils pas chercher à Jérusalem cette huile de la
lampe du Sépulcre que réclamait Koubilaï ! A leur retour en
Acre, le Pape serait peut-être « fait » ! Munis des autorisations
nécessaires, les Polo achetèrent des mules, des chevaux. Comme
tous les pieux croyants, ils eussent désiré voyager en pèlerins,
bourdon au poing, les reins ceints de la corde rude, mendiant
leur subsistance. Mais le temps leur manquait. Ils virent bientôt l'enceinte quadrilatère et grise, percée de huit portes, qui
protégeait Jérusalem, et pénétrèrent dans les rues tortueuses de
la Ville Sainte. Des maisons de pierres, des toits en coupole,
des voûtes épaisses, des grandes églises mutilées s'élevaient les
images secrètes et frémissantes de la grandeur la plus pathétique
qui fût jamais au monde. Dans Haram ech-Chériff, la fastueuse
Koubbet es-Sakhra, rutilante de mosaïques, ne parvenait pas à
faire oublier, sous la poussière successive des siècles, l'autel de
David, le temple de Salomon, où s'abritait l'Arche d'Alliance,
détruit par Nabuchodonosor, le temple d'Hérode, soutenu par
mille colonnes, brûlé par Titus, et où s'était promené Jésus, vêtu
d'une robe blanche, entouré de ses disciples, les entretenant des
fulgurants miracles de l'Amour.

Mais il y avait surtout l'église du Saint-Sépulcre, où chaque
pierre marquait le douloureux chemin, la voie dernière du divin
Sacrifié. Après avoir traversé la vaste rotonde, les Polo franchirent une porte basse et se trouvèrent dans une salle étroite et
nue, où ils aperçurent le tombeau du Christ. Là-haut, suspen-
dues à la voûte, brillaient doucement, dans les ténèbres, les
lampes sacrées.

Face contre terre, Marco fit un vœu.

* * *

Les Polo revirent le légat à Saint-Jean-d'Acre. Le Pape
n'était pas encore élu. Le légat leur remit des lettres, adressées
à Koubilaï, témoignant qu'ils avaient bien rempli leur mission,
mais que le Pape n'étant point nommé, ils ne pouvaient lui apporter une entente officielle. Ils partirent pour Layas.

32

Réunis à Viterbe, les cardinaux ne s'accordaient cependant pas sur leur choix. Bonaventure eut alors recours à des moyens extrêmes. Il fit enfermer les princes de l'Eglise dans le palais où ils délibéraient, leur signifiant qu'ils n'en sortiraient que lorsqu'ils auraient élu un Pape. Toutes communications avec l'extérieur leur étaient interdites. Le « conclave » était né.

L'élection tardant encore, Bonaventure réduisit leur alimentation au pain et au vin. Un cardinal anglais, humoriste, suggéra alors de faire enlever la toiture du palais où siégeait le conclave, afin que « l'inspiration divine pût descendre plus facilement sur ses membres ». Enfin, le conclave forma un comité de six cardinaux, lui donnant pleins pouvoirs. Celui-ci s'adressa à Bonaventure, lui disant qu'ils éliraient celui qu'il désignerait. Le grand Docteur nomma Thibaud de Plaisance.

* * *

A Layas, les Polo étaient les hôtes du roi de la Petite-Arménie, qui était l'allié des Croisés. De Layas partaient les routes conduisant vers l'intérieur asiatique. Les voyageurs achevaient de conclure les négociations des premières étapes du voyage quand un messager arriva à Layas leur enjoignant, par ordre du Pontife, de revenir sur l'heure à Saint-Jean-d'Acre. Le roi fit immédiatement armer une galère qu'il mit à la disposition des Polo. Ils apprirent que le légat Thibaud devait régner sous le nom de Grégoire X.

Saint-Jean-d'Acre s'était empli d'une animation extraordinaire. Des courriers, des messagers, des délégués, des envoyés, des barons, des princes, des ambassadeurs surgissaient de toutes parts, apportant des félicitations, des projets d'alliance, des présents, demandant des privilèges, des levées d'excommunication, des interdictions, réclamant des sanctions, des droits, des duchés, des villes, des titres, le pardon, la justice. Le port n'avait jamais vu autant de vaisseaux. Les cloches des monastères, des couvents, des églises ne cessaient de sonner. Des processions de fidèles montaient au palais de la légation, se répandaient dans les jardins, acclamaient le Pape, chantaient des cantiques, entonnaient le Magnificat. Dans la nuit, sous les étoiles, on récitait des prières publiques jusqu'à la blancheur de l'aube, jusqu'au réveil des cloches.

Le Souverain accueillit ses amis avec la plus grande bonté, voulut qu'ils prissent part aux fêtes que l'on donnait pour célébrer son accession au Trône. Il s'entretint longuement avec eux de leur mission. Il leur confia Guillaume de Tripoli et Nicole de Vicence, de l'ordre des Dominicains, qui passaient pour les plus savants clercs du temps, et qui sauraient confondre les sorciers de Koubilaï. Plus tard, d'autres suivraient. L'Eglise, dans ces temps troublés, ne pouvait distraire ses docteurs sans risquer d'affaiblir ses forces. Le Pape leur souhaita bon voyage et les congédia affectueusement après les avoir bénis.

Les voyageurs reprirent la galère du roi arménien. La mer était calme, bleue, et Marco voyait fuir, rougeâtres, les côtes d'Asie. Il avait vu Jérusalem, le tombeau du Christ, la maison de Nazareth, gravi à Saint-Jean-d'Acre le mont Carmel, reçu le sourire du Pape, sa bénédiction. Et devant lui, tant de jours, tant de choses inconnues, tant de mystères ! Il vivait un rêve.

Il aidait à la manœuvre, apprenait les commandements du capitaine, retenait de lui les mots d'une langue bizarre, dure, sans liens analytiques, que l'on disait être la langue la plus vieille du monde. Les Polo se réjouissaient de l'avoir emmené.

Ils trouvèrent Layas dans la confusion, l'affolement. Le roi rassemblait son peuple, parlait de fuir dans les montagnes. Bibars, le fameux sultan des mamelouks d'Egypte, ravageait la région, s'avançait sur la ville. Sa férocité était légendaire. Il avait arraché aux musulmans Alep et Damas, conquis sur les chrétiens Antioche, Laodicée, Jaffa, et repoussé les troupes mongoles de Houlagou au-delà des frontières de Syrie. Guillaume de Tripoli disait de lui qu'il n'était pas inférieur à César comme valeur militaire, ni à Néron comme cruauté. Il livrait les villes prises à la rage de ses soldats, ne se réservant que les femmes dont il faisait marché par la suite, sur les côtes de l'Arabie, au prix de quatre contre un dinar.

Les deux clercs voulurent dissuader les Polo de poursuivre. Il était temps encore de gagner, par mer, le long du littoral arménien, quelque couvent de Templiers, où ils trouveraient un asile sûr. Les Polo refusèrent. Ils connaissaient, disaient-ils, des chemins de montagne qui les conduiraient dans la Haute-Arménie, et de là, sur les bords de l'Euphrate. Les religieux n'osèrent point tenter le risque. Ils remirent aux Polo les lettres et les privilèges du Pape, et reprirent la route du retour.

CHAPITRE IV

Ils traversèrent la Petite-Arménie, pays giboyeux, malsain, plein de fièvres, semé de châteaux forts délabrés où les descendants des fiers guerriers de jadis, croupissant dans l'ordure, s'abêtissaient d'alcool, et pénétrèrent en Anatolie, province soumise au Tartare du Levant. Des villes prospères, Sivas, Konieg, produisaient des étoffes brodées d'or et d'argent, des draps de soie, des tapis somptueux. Dans les montagnes vivaient les Turcomans, gens grossiers, grands éleveurs de chevaux, parlant un langage primitif, et qui adoraient Mahomet.

La Grande-Arménie fut atteinte. D'autres villes: Arzuigan, célèbre pour ses laines, ses eaux thermales, son patriarchat nestorien; Erzéroum et ses mosquées, carrefour des grandes caravanes, située non loin des sources de l'Euphrate, cernée de hauts pics volcaniques; Arziri, rasée par Genghis-Khan, suspendue sur un lac de cristal; Van, enfouie au cœur de merveilleux jardins, fondée par Sémiramis, que les Assyriens adoraient sous la forme d'une colombe.

Les gens de la Grande-Arménie étaient nestoriens et jacobites; les premiers ditinguaient en Jésus-Christ deux personnes, l'une divine, l'autre humaine; les seconds ne reconnaissaient dans le Christ que la nature divine. Chaque été, les armées du Khan venaient faire paître leurs troupeaux dans le pays, où le fourrage abondait. Alors les habitants se terraient dans leurs demeures, et les femmes, pour vaquer aux travaux domestiques, coupaient leur chevelure, enduisaient leur visage de suie, afin de dégoûter les Tartares, qui avaient le désir prompt.

Le sol s'élevait de plus en plus, l'air devenait vif, froid. Les Polo parvinrent au pied d'une haute montagne couverte de neiges éternelles, que l'on nommait Ararat. La légende voulait que l'arche de Noé, après le déluge, se fût posée sur son sommet. Par temps clair, certains prétendaient la reconnaître, d'autres avaient voulu l'atteindre, mais des aigles qui tournoyaient sans cesse en cercle autour d'elle la gardaient jalousement, et les téméraires n'avaient jamais été revus.

Ils approchaient de la Géorgie. Des nappes d'huile couvraient la région à la façon des marécages. Les indigènes se servaient de cette huile pour brûler. Des capitaines venaient de très loin pour en charger leurs bateaux. Parfois, le feu éclatait dans un de ces marais, des flammes légères, soulevant une épaisse fumée jaune, roulaient sur la surface liquide, et l'incendie fixait au ciel, pour des mois, un énorme nuage sombre que la violence des vents ne parvenait pas à dissiper.

* * *

La dynastie des Bagratides régnait sur la Géorgie depuis des siècles. Ses rois portaient le nom de David, et prétendaient descendre du roi David de la Bible. Ils naissaient tous, disait-on, avec le signe de l'aigle sur l'épaule droite. Les Géorgiens, chrétiens selon la loi grecque, étaient des guerriers renommés. Leurs femmes jouissaient d'une beauté incomparable. Ce pays couvert de montagnes, percé d'innombrables défilés, sillonné de passes étroites, surplombant la mer comme un gigantesque vautour de granit, avait réussi de briser la marche conquérante d'Alexandre vers l'Occident. Celui-ci avait alors fait élever sa célèbre Porte de Fer, joignant la mer et la montagne, pour se défendre de l'invasion possible des Barbares. « Il y a encore dans ce pays un monastère de religieuses qu'on appelle Saint-Léonard, où l'on voit une merveille que je vous conterai. Près de l'église, il y a un grand lac au pied d'une montagne, dans lequel, de tout l'an, il ne se trouve point de poisson, ni petit ni grand. Et quand arrive le premier jour de carême, l'on en retire le plus beau poisson du monde, et en grande quantité; et dure ce poisson tout le carême, jusqu'au samedi saint. Et puis il ne s'en trouve plus jusqu'au carême suivant. Et ainsi en va-t-il chaque année, ce qui est un grand miracle. Cette mer, que je vous ai dit être près des montagnes, s'appelle la mer Gelachelan. »

C'était le golfe de Chelan, dans la Gaspienne.

* * *

Les Polo décidèrent brusquement d'interrompre l'itinéraire projeté. Ils gagneraient la Chine par voie de mer, pour économiser du temps. Ils se dirigèrent vers le sud-ouest, vers Bagdad. Là, ils avaient l'intention de descendre le Tigre jusqu'au golfe Persique.

Ils passèrent par Tauris, virent son mur troué de sept portes monumentales, et où la mosquée de Djihan-Chah élevait un long minaret d'émail bleu. Des caravanes venues des confins de l'Inde, de la Perse, de l'Arabie y stationnaient. Tauris avait été fondée par Zobeidah, la *Fleur des Femmes,* cousine et seule épouse légitime du calife Haroun-al-Raschid. Ils visitèrent Mossoul, sur la rive droite du Tigre, connue pour ses soieries. En face d'elle, de l'autre côté du fleuve, reposaient les ruines de la légendaire Ninive, résidence des rois assyriens, qui indiquait encore la triple enceinte de ses murailles. Le temple de la déesse Ishtar, adorée jadis sous la forme d'un poisson, était enfoui sous une végétation lépreuse et rare, rongé par les sables.

Bagdad approchait. Sur les lèvres des Polo, le nom de Mahomet. Marco entendit l'histoire.

Ce petit berger maladif, sujet à des crises aiguës de nervosité, orphelin recueilli par un oncle qui possédait une certaine fortune, était né à La Mecque en 571. Il avait bientôt quitté le service de son protecteur, Abou-Taleb, pour épouser une riche veuve,

39

Khadidja, son aînée de quinze ans, qui dirigeait un commerce. Khadidja lui donna quatre filles et quatre fils; ces derniers moururent en bas âge. Quand il eut atteint quarante ans, l'ange Gabriel lui apparut, lui confiant la mission, en lui récitant les premiers versets de la quatre-vingt-seizième sourate du Koran, de révéler au monde le véritable Dieu. Le Prophète convertit d'abord à ses idées sa femme, ses enfants, ses plus proches amis. Il nomma ce premier noyau de fidèles *mouslim*, « qui se confie à Dieu ». (En langue persane, le pluriel de mouslim s'écrit musulman.) Puis il parcourut la ville, prêchant une doctrine composée de judaïsme, de parsisme, de hanifisme, de christianisme: Allah était le seul Dieu, entouré de ses Djinns, anges et démons et glorifié par ses prophètes, Adam, Noé, Abraham, Moïse, Jésus, et par lui-même, Mahomet, le dernier et le plus grand.

Inquiets, les grands-prêtres fomentèrent des troubles qui forcèrent Mahomet de fuir, poursuivi par la fureur des idolâtres. Sa tête fut mise à prix. On confisqua ses biens. Il se réfugia à Médine, rivale de La Mecque, qui lui fut bientôt acquise. Son arrivée à Médine marqua le début de l'ère de l'Hégire. Huit ans plus tard, il enleva, par les armes, La Mecque, puis s'empara peu à peu de toute l'Asie Mineure. Dès lors, l'expansion musulmane fut foudroyante. La force de ses armes balaya l'Afrique, l'Espagne, le Portugal, pénétra jusqu'au cœur même de la France où Charles Martel, à Poitiers, se dressant devant elle, la brisa. Cependant, cinquante ans après la mort du Prophète, l'Islam régnait en maître du golfe d'Oman aux falaises de l'Atlantique. Et dans tous ces espaces, la voix des muezzins avait remplacé le son grave des clochers.

Trois grands califats furent constitués, qui réunissaient le pouvoir spirituel au pouvoir temporel. Après La Mecque, après Koufa, après Damas, Bagdad avait été le siège du califat d'Orient. Jusqu'à l'arrivée de Houlagou.

* * *

Ils longèrent les bords du Tigre jusqu'à Bagdad. Les rives du fleuve étaient bordées d'aloès géants, d'oliviers tordus, de fougères arborescentes, de citronniers, d'orangers, d'avocatiers, et de longs

40

palmiers royaux qui projetaient des jets d'émeraude dans le pur saphir du ciel. A Bagdad, le fleuve divisait la ville en deux parties égales que des ponts de bateaux reliaient. Les jardins des palais, chargés d'innombrables fleurs, ornés de vasques de marbre et de fontaines jaillissantes, descendaient en pente douce jusqu'à ses rives.

Mais la colère des Mongols s'était abattue sur Bagdad. Vingt ans auparavant, Houlagou avait fait le siège de la ville. Mostassim, le calife, commandait quatre cent mille hommes. Il appartenait à la dynastie des Abassides, qui régnait sur Bagdad depuis cinq siècles. Une tour s'élevait au centre du palais du calife, regorgeant de trésors. Dans une attaque impétueuse, Houlagou força la ville. Mostassim avait disparu. Les murs du palais, incrustés de jaspe noir et blanc, étaient de santal rouge. On trouva dans le harem trois cents femmes, mille eunuques. Les femmes criaient, les eunuques, blêmes, gras, tremblaient de toutes leurs chairs flasques. Houlagou vit la tour aux trésors. Il en fut ébloui. Des soldats découvrirent Mostassim au fond d'un souterrain secret qui conduisait au Tigre. Trahi, il avait été empêché de rejoindre le fleuve. Houlagou le fit comparaître devant lui, dans la tour.

— Cela, t'appartient ? lui demanda-t-il.

— Oui, répondit le calife.

— Tu as faim ? demanda encore le vainqueur.

— Oui.

— Mange ton or !

— ...

— Si tu ne le peux pas, pourquoi ne l'as-tu pas fait distribuer parmi ton peuple, qui te serait peut-être demeuré fidèle ? Pourquoi ne l'as-tu pas donné à tes soldats, qui t'auraient mieux défendu ? Pourquoi n'en as-tu pas armé tes pointes de lances, alourdi tes flèches, couvert tes armures ?

— Allah est le maître, et sa volonté est toute-puissante !

— Alors qu'Allah te nourrisse de ton trésor.

Ainsi mourut, verrouillé dans sa tour, le dernier calife de Bagdad.

Le sac de la ville dura sept jours. Quatre mille charges de butin furent emportées par les troupes de Houlagou.

Les Polo louèrent les services d'un capitaine et descendirent le fleuve. Ils s'avançaient au milieu d'une végétation luxuriante. Les nuits étaient douces, bleues, chargées d'odeurs suaves. Ils virent Kouonah, au confluent du Tigre et de l'Euphrate. Plus tard, Bassora s'annonça, avec sa mer de palmiers-dattiers. Ils longèrent des côtes qu'une lumière trop crue décolorait et pénétrèrent en Perse.

CHAPITRE V

O<small>N DIVISAIT</small> la Perse en huit royaumes: Casvin, Curdistan, Lor (Louristan), Cielstan (Choulistan), Istanit (Ispahan), Serazy (Fars), Souscara (Lor et Kirman), Tunocain (Khorassan). Fondée par Cyrus, son successeur, le grand Darius, en avait fait un vaste empire comprenant vingt-trois satrapies, qui s'étendait de l'Indus à la Méditerranée. Alexandre l'avait conquise en 330 (av. J. C.). La dynastie des Sassanides put rétablir l'Empire de Darius cinq siècles plus tard. Les Arabes s'en emparèrent en 652. Ce fut la domination du Califat d'Orient. Vinrent Genghis-Khan, Houlagou.

La Perse était renommée pour ses chevaux, ses ânes, ses montagnes, ses brigands, ses artistes, ses poètes, ses ruines, son histoire, sa légende. Les Polo visitèrent, dans une ville du nom de Sabah, les tombeaux de trois rois. Au-dessus des sépultures s'élevaient trois mausolées reliés entre eux par un couloir de marbre bleu. Les corps de monarques étaient parfaitement conservés, et gardaient cheveux et barbe. Les habitants de la ville ne purent dire aux Polo qui étaient ces rois. A trois jours de Sabah, les voyageurs rencontrèrent une place forte gardée par des adorateurs du feu.

Ceux-ci racontèrent que les trois rois de Sabah se nommaient Gaspard, Melchior et Balthazar, et qu'ils s'étaient autrefois rendus dans un pays lointain pour adorer un prophète qui venait d'y naître. Ils lui apportaient de l'or, de l'encens et de la myrrhe. Si le prophète était dieu, il accepterait l'encens; roi terrestre, il choisirait l'or; grand thaumaturge, il prendrait la myrrhe. Le premier roi, qui était le plus jeune, pénétra chez le prophète et vit un adolescent; le second, plus âgé, vit un homme d'âge mûr; le plus vieux roi vit un vieillard. Ils furent fort troublés, se concertèrent, décidèrent de se rendre ensemble chez le prophète. Ils aperçurent alors un enfant de treize jours. Ils lui offrirent l'or, l'encens et la myrrhe, et l'adorèrent. L'enfant accepta les dons et leur remit une boîte close. Sur le chemin du retour, les rois ouvrirent le coffret et n'y trouvèrent qu'une pierre; et ne comprenant pas que l'enfant, ayant accepté les trois offrandes, était dieu, thaumaturge et roi, que la pierre signifiait qu'ils dussent posséder une foi aussi ferme que sa dureté, ils jetèrent la pierre dans un puits. Alors une longue flamme descendit soudain du ciel et embrasa le puits. Les rois tombèrent à genoux, s'humilièrent. Puis ils prirent de ce feu qu'ils emportèrent dans leur pays, et ils l'entretinrent depuis lors et l'adorèrent.

Les Polo atteignirent Yezd, ville mahométane, fondée jadis par Ptolémée d'Egypte. Ils parcoururent ensuite une plaine couverte de figuiers, de pêchers, d'abricotiers, de dattiers. Le sol s'élevant, des forêts de bouleaux, d'amandiers, de thuyas, de chênes révélèrent une région extrêmement giboyeuse, où les paons, les faisans, les cailles, les sarcelles pullulaient. Des ânes sauvages, bondissant dans les fourrés, effrayaient leurs chevaux.

Au bout de sept jours, ils pénétrèrent dans le royaume de Kirman. On y trouvait de grands troupeaux de moutons. Le flanc des montagnes renfermait des veines de turquoise. Les habitants des villes et des villages forgeaient et trempaient des épées, des sabres, des fers de lance, des cimeterres, fabriquaient des arcs, des carquois, des selles, des éperons. Les femmes brodaient des tentures et des tapisseries d'une grande beauté. On élevait des faucons qui passaient pour les meilleurs du monde; bien dressées, ces bêtes se vendaient le prix d'un bon cheval. Ils voyagèrent encore neuf jours, et traversèrent les ruines d'une ville appelée

Camadi. Les corbeaux voletaient et soudain se précipitaient en croassant sur quelque reptile qui se glissait entre les pierres d'émail bleu. Des mendiants accroupis, leurs mains sèches et nouées croisées sur leur bâton, se tenaient immobiles, comme pétrifiés, le regard perdu dans un rêve sans fin. Le poète Hadji Ali venait d'écrire:

« O hommes, comment pouvez-vous vous attacher à ce monde corruptible dont la vie n'est qu'un songe et les biens si périssables ? J'ai réservé un séjour plus permanent et plein de délices éternelles à ceux qui suivent ma loi et craignent les effets de ma justice. Ce séjour est le Paradis, où l'on entre par huit différentes portes qui conduisent à autant d'enceintes: il y a dans chaque enceinte soixante-dix mille prairies de safran; dans chaque prairie soixante-dix mille demeures de nacre et de corail; dans chaque demeure soixante-dix mille palais de rubis; dans chaque palais, soixante-dix mille galeries de topaze; dans chaque galerie soixante-dix mille salons d'or; dans chaque salon soixante-dix mille tables d'argent; sur chaque table soixante-dix mille sortes de ragoûts...

... Chacun de ces mêmes palais contient encore soixante-dix mille sources de lait et de miel avec autant de pavillons de pourpre occupés par de belles adolescentes...

... Les habitants de ces lieux enchantés sont immortels; ils ne connaissent ni le chagrin, ni les pleurs, ni les ris, ni les prières, ni le jeûne. Quiconque se conforme à ma volonté et gagne mes bonnes grâces s'assure une place dans les banquets célestes. »

Plus tard, les Polo traversèrent une région sauvage et désertique, cependant baignée de rivières et possédant une végétation touffue. La chaleur était intense. Ils virent des bœufs énormes, blancs, à cornes rondes et courtes, avec une bosse entre les épaules, qui s'agenouillaient à la façon des chameaux pour recevoir leur charge; des gelinottes aux pattes rouges, au bec vermeil, dont la chair était savoureuse; des moutons à laine épaisse et frisée, hauts comme des ânes, et dont la large queue, évasée à son extrémité, pesait souvent trente livres.

Les rares villages qu'ils rencontraient étaient tous murés. A la tombée de la nuit, on fermait les portes des murailles, et des guetteurs annonçaient, d'heure en heure, que chacun pouvait poursuivre son repos. La région était infestée de brigands. Ils razziaient les campagnes, s'emparaient de tout ce qu'ils voyaient, tuaient les vieillards et les enfants, gardaient les hommes et les femmes valides pour les vendre à l'étranger comme esclaves. Leurs bandes comptaient parfois dix mille membres. On prétendait qu'ils détenaient, par le moyen d'artifices magiques, le pouvoir de proluire l'obscurité en plein jour. Comme ils connaissaient parfaitement le pays, ils s'avançaient alors en rangs serrés, coudes à coudes, et rien ni personne ne pouvait échapper à leur attention. Ils avaient à leur tête le roi Nogador, de sang mongol, parent des khans qu'il avait trahis dans une révolte; il s'était enfui avec une partie des troupes qu'il commandait. Il imposait ses rapines dans plusieurs royaumes, avait pénétré jusqu'aux Indes, où il terrorisait la province de Dalivar (Lahore).

A la sortie d'un défilé, la caravane des Polo fut soudain surprise par les bandits. Plusieurs hommes furent tués, d'autres faits prisonniers. Les mules, les chevaux, les vivres furent perdus. Par un hasard qui tenait du miracle, les Polo purent s'échapper et se réfugier dans un village voisin nommé Conosalmi. Leur escorte ne comptait plus que sept personnes. Ils avaient néanmoins rescapé quelques biens, qui leur permettaient de « poursuivre ».

* * *

La descente vers la mer prit dix jours. Ormuz apparut enfin. Ormuz divisait le golfe Persique et la mer d'Oman. La mer d'Oman conduisait vers la mer des Indes, vers la mer du Bengale, vers la mer de Cathay. Au-delà, nul ne savait plus. Mais il y avait quelque part, dans cette direction (où ?), l'insondable et vertical abîme où la terre et la mer étaient coupées. Où le monde était fini.

Ormuz était bâtie sur une île volcanique. La flotte d'Alexandre y avait jadis jeté l'ancre, et les matelots avaient tellement goûté les délices de ce séjour qu'un dicton était né: « Si la terre était un anneau, Ormuz en serait le joyau. » Cependant, l'été, la chaleur se faisait intolérable. Du sol roussi s'élevaient des vapeurs embrasées qui desséchaient tout. Les habitants allaient alors se réfugier dans la mer où ils demeuraient, plongés jusqu'au cou, tout le jour. Les maisons des gens riches étaient flanquées de tourelles ajourées de telle façon qu'elles captaient les vents moins chauds de la nuit et un système de rotation distribuait un peu d'air dans les différentes pièces de la demeure. Mais quand le simoun se levait, on fermait tout. Cela durait des semaines. Le ciel était couvert d'un immense voile de pourpre sombre. Suffoqués, crachant le sang, les poumons brûlés par les sables, les gens étouffaient.

Les habitants d'Ormuz ne mangeaient ni viande ni pain. Ils se nourrissaient de poissons, de citrons, d'oignons et de dattes. On nourrissait également le bétail de poissons. L'usage du vin était interdit; celui qui était surpris à en boire devait payer une forte amende; celui qui récidivait était puni de mort. Tout près de la ville s'élevait une colline de sel de roche. On détachait des blocs de ce sel gemme, que l'on tournait ensuite en poterie. Les aliments que l'on plaçait dans ces vases se conservaient sans autres soins.

Les produits de la Perse étaient exportés par Ormuz. Et l'île recevait les marchandises des Indes, de Ceylan, de la Malaisie, de la fabuleuse Cathay. Les gens d'Ormuz semblaient ignorer l'usage du fer. Ils liaient les planches de leurs embarcations à l'aide de fils résistants qu'ils tiraient de l'écorce de palmiers; des chevilles de bois soudaient les plus grosses pièces; ils enduisaient le tout d'huile de poissons.

Les gens d'Ormuz adoraient Mahomet. Ils étaient très pieux, faisaient leurs prières et leurs ablutions cinq fois par jour. Ils observaient le deuil pendant quatre ans; et chaque jour, durant cette période, réunissaient parents et voisins, ils rappelaient le souvenir du mort en gémissant et en poussant de grands cris. Les femmes ne pouvaient sortir que voilées jusqu'aux yeux; elles avaient les pieds nus avec, à la cheville, de gros anneaux d'or ou d'argent.

Le roi de la ville, vassal du roi de Kirman, s'appelait Ruomedan Ahomet. Il exerçait le droit d'aubaine, et celui de prélibation: le premier lui permettait de s'emparer des biens de l'étranger qui venait à mourir dans son royaume; le second lui donnait le pouvoir d'exiger de ses sujets qui se mariaient de lui livrer leur femme pour la première nuit nuptiale.

Cependant les Polo cherchaient un vaisseau qui les conduirait vers l'Est. Les capitaines se récusaient. Certains prétextaient des engagements antérieurs; d'autres hochaient la tête, se lançaient dans mille explications confuses, demandaient des sommes folles; enfin les derniers déclarèrent qu'ils ne songeaient point à appareiller avant longtemps. L'été s'annonçait. Les gens désertaient la ville, cherchaient déjà la fraîcheur dans les jardins des faubourgs. Après une longue et vaine attente, les Polo abandonnèrent leur projet de navigation et se dirigèrent vers le Nord-Est.

* * *

Trois jours de désert. Le sable était mêlé de sel; la chaleur, torride. Nulle bête, nulle végétation. Le quatrième jour, les sables se firent moites. Ils marchaient au-dessus de canaux souterrains, travaux jadis accomplis par les Perses, et des trous étaient pratiqués de place en place, où l'on pouvait puiser l'eau. Ils aperçurent des oies sauvages. Le sol s'élevait. Il y eut des mousses, des lichens, de maigres thuyas. Puis il y eut un autre désert de quatre jours et ils atteignirent l'oasis de Kou-Benan, où abondaient les pêches, les raisins, les grenades, les noix. On fabriquait à Kou-Benan de curieux miroirs d'aciers, et une préparation à base d'oxyde de zinc qui guérissait les affections des yeux.

En quittant l'oasis, les voyageurs durent franchir un autre désert de huit jours, d'une sécheresse absolue. Ils se trouvèrent alors à la frontière qui séparait le Kirman de la province de Tunocain. Des villages apparaissaient de loin en loin, murés, silencieux, figés dans la même forme immobile depuis le fond des âges. Puis vinrent des villes, qui semblaient jouir d'une grande aisance. Le climat s'était adouci. « Les gens adorent tous Mahomet et ont très belle apparence; particulièrement les femmes sont belles outre mesure. »

Ils s'engagèrent dans une vaste plaine herbeuse que bornait seul l'horizon. Au centre de la plaine s'élevait un arbre gigantesque, à l'intérieur duquel plusieurs cavaliers pouvaient tenir à l'aise. On l'appelait « l'Arbre Sec », ou « l'Arbre Seul », ou « l'Arbre du Soleil ». Nul autre arbre, d'aussi loin que pouvait porter la vue. Son écorce était verte et blanche. Son bois était jaune comme le buis, dur comme le fer. Il produisait des amandes au fruit séché. De multiples légendes entouraient l'Arbre. On disait qu'il avait été planté par Adam, après avoir été chassé du Paradis terrestre, pour indiquer aux hommes la honteuse persistance du mal, et l'éternelle solitude dans laquelle il plonge les pécheurs. On prétendait qu'il avait été le refuge de la colombe qui avait apporté à Noé, dans l'arche, la branche verte d'olivier. On affirmait que là s'était livrée la bataille décisive d'Alexandre, où Darius avait été tué.

La plaine franchie, ils se trouvèrent au pied de collines rougeâtres aux sommets pelés et ronds. Derrière elles, l'écran circulaire et mauve de hautes montagnes. Ils s'en approchèrent en suivant des pistes à pente dure, pierreuse, dominant des ravins au fond desquels se tordaient, comme des couleuvres, des torrents rageurs. Des châteaux sombres, massifs, cubiques, prolongeaient les premiers contreforts de la montagne. Ils avaient appartenu aux Ismaéliens, qui s'étaient détachés, vers le deuxième siècle de l'Hégire, des Croyants de Mahomet, en revendiquant pour leur prince, fils d'Ismaël, la filiation directe du prophète et son héritage spirituel. Ils professaient une étrange doctrine qui les dispensait de toute obligation morale. Devenue redoutable, leur secte, pendant cinq siècles, porta la terreur dans tout l'Orient. Par la suite, des revers les ayant affaiblis, ils s'étaient réfugiés dans ces montagnes où ils s'étaient construit des forteresses imprenables. On les appelait « Hasisins », (de hachichîn, buveurs de hachish, d'où le mot assassin). Ils avaient à leur tête un chef absolu, l'iman. Le dernier, surnommé le « Vieux de la Montagne », fut pris par Houlagou.

« Le Vieux était appelé en leur langue Ala-eddin. Il avait fait fermer entre deux montagnes et une vallée, le plus grand jardin et le plus beau que l'on ait jamais vu, et où il y avait les plus beaux palais que l'on pût jamais admirer, tous dorés et décorés très bien de toutes choses. Et il y avait des conduits où coulaient très bien vin, lait, et miel, et eau; et plein de dames et demoiselles les plus belles du monde, qui savaient jouer de tous les instruments et chanter très bien, et qui dansaient de telle sorte que c'était un délice de voir cela. Le Vieux faisait entendre aux siens que ce jardin était le Paradis...

49

... Il avait à l'entrée de ce jardin un château si fort que le monde entier ne le pourrait prendre, et on ne pouvait entrer dans le jardin que par là. Il tenait en sa cour de jeunes enfants de douze ans, de sa contrée, qui avaient volonté d'être hommes d'armes, et leur enseignait comment Mahomet dit que leur Paradis est fait de la même manière ci-dessus, et ceux-ci le croyaient comme les Sarrasins le croient. Puis il leur faisait boire un breuvage à la suite duquel ils s'endormaient aussitôt, puis les faisait prendre et mettre en son jardin. Et quand ils s'éveillaient, ils se trouvaient là.

Quand ils se réveillaient là-dedans et se voyaient en si beau lieu, ils croyaient vraiment être en Paradis. Les dames et les demoiselles les caressaient tous les jours à leur volonté, si bien que les jeunes gens avaient ce qu'ils voulaient avoir et jamais, de leur plein gré, ne seraient sortis de là.

Le seigneur Vieux de la Montagne tenait une cour noble et grande et faisait accroire à ces gens simples qui sont autour de lui qu'il était un grand prophète. Et ainsi le croyaient-ils véritablement. Et quand il voulait avoir de ses Hasisins pour les envoyer en quelque lieu, il faisait donner de ce breuvage que je vous ai dit à quelques-uns de ceux qui étaient en ce jardin, et les faisait porter en son palais. Et quand ils étaient éveillés, ils se trouvaient en ce château, hors de leur Paradis, de quoi ils étaient très grandement étonnés, et n'en étaient pas trop aises. Le Vieux les faisait venir devant lui; ils s'humiliaient beaucoup devant lui, comme devant celui qu'ils croyaient être un vrai prophète. Il leur demandait d'où ils venaient, et ils disaient qu'ils venaient du Paradis, et qu'il était tel que Mahomet le dit en leur loi. Et les autres, qui entendaient cela, et ne l'avaient point vu, avaient grand désir d'y aller.

Et quand il voulait faire assassiner un grand seigneur, il leur disait: « Allez et tuez telle personne; et quand vous serez de retour, je vous ferai porter par mes anges en Paradis. Et si vous mourez là, je dirai à mes anges qu'ils vous rapportent en Paradis. »

Ainsi le leur faisait-il accroire; et pour ce ils faisaient tout son commandement, qu'ils ne laissaient pour nul péril, pour la grande envie qu'ils avaient de retourner en son Paradis. De cette manière le Vieux leur commandait de tuer tous ceux qu'il voulait faire mourir. Et par la très grande crainte que les seigneurs avaient de lui, ils lui payaient tribut pour avoir avec lui paix et amitié.

En l'an 1252 de l'Incarnation du Christ, Houlagou, le seigneur des Tartares du Levant, entendit cette grande méchanceté du Vieux et pensa de le faire détruire. Il choisit un de ses barons, l'envoya entour de ce châtel avec une grande armée, et ils assiégèrent le châtel trois ans sans pouvoir le prendre tant il était fort. Et s'ils eussent eu (les assiégés) de quoi manger, ils ne l'eussent jamais pris. Mais après trois ans les vivres leur manquèrent, si bien qu'ils furent pris, et le Vieux fut massacré avec tous ses hommes. Et depuis il n'y en eut aucun autre, car là finit sa méchanceté qu'il avait déjà tant manifestée. »

* * *

Quand ils eurent gravi ces premières montagnes, les Polo chevauchèrent encore six jours dans un pays sauvage et accidenté, puis descendirent dans une vallée où ils rencontrèrent la ville de Sapourgan, dont la principale source de revenus était la culture des melons. On les découpait en minces lanières que l'on faisait sécher au soleil; ils prenaient alors le goût du miel et se conservaient indéfiniment. Les caravaniers en faisaient leur nourriture pour la traversée des déserts.

Balkh fut ensuite atteinte. Cette ville portait dans les ruines de ses palais détruits le reflet de gloires qui se perdaient dans la nuit des temps. Elle avait été célèbre au temps de l'empire de la Bactriane, à qui elle avait servi de capitale. Zoroastre, disait-on, y avait inauguré le culte du feu; Alexandre y avait épousé la belle Roxane, fille de Darius. Les Asiatiques nommaient Balkh la « mère des cités ». Elle se targuait d'être la plus vieille ville du globe.

A quelques kilomètres de Balkh coulait l'Amou-Daria. Les Polo s'arrêtèrent sur les bords du fleuve. Ils voyaient devant eux un mur de montagnes qui semblaient infranchissables, et dont les cimes se perdaient dans les nuages.

CHAPITRE VI

U NE ÉPUISANTE chevauchée conduisit les Polo à Taïcan, sur un affluent de l'Amou-Daria, après avoir parcouru un territoire hostile, désert, que sa population avait fui par crainte des brigands, et où, le soir, au bivouac, ils entendaient rugir les lions. La Perse était déjà loin derrière eux.

A Taïcan se tenait un grand marché de blé. Des montagnes de sel bordaient le pays. La dureté de ce minéral était telle qu'on ne pouvait l'entamer qu'avec des pics de fer; les habitants en découpaient des blocs carrés dont ils se servaient pour construire leurs maisons. Plus tard, les Polo abordèrent une région aux terres riches, couvertes de vignes et d'arbres fruitiers. Les gens du pays étaient chasseurs, querelleurs, ivrognes. Ils se vêtaient de peaux de bêtes et portaient, en guise de turban, une longue corde enroulée autour de la tête et dont ils laissaient pendre un bout dans le dos. Ils regardaient les voyageurs avec haine.

Depuis longtemps déjà les Polo longeaient ces montagnes aux cimes perdues dans le ciel. Ils s'y engagèrent enfin par des couloirs étroits, sombres, lits de torrents desséchés qui conduisaient à de petits plateaux stériles encaissés de rocs. Puis le sol s'étant aplani, ils atteignirent la cité de Casem, pauvre, à la population méfiante, relais de caravanes, divisée par un fleuve charriant des eaux boueuses. Poursuivant toujours leur route, ils rencontrèrent une peuplade d'êtres primitifs s'exprimant dans un idiome incompréhensible et qui vivaient sous terre, comme les troglodytes, dans des grottes profondes creusées de leurs mains, où ils s'enfermaient la nuit avec leur bétail. Quand les voyageurs touchèrent le Badachan, ils avaient franchi l'Amou-Daria depuis vingt et un jours.

* * *

Marco grandissait, maigrissait, faisait de la fièvre. Ses aînés s'inquiétèrent. Ils décidèrent de séjourner dans la région, où l'air était salubre et vif. On leur indiqua le plateau de Shewa, à l'est de Faizabad, qui renfermait un lac aux eaux cristallines, dans lequel se jetaient des ruisseaux frais regorgeant de truites. Les bois étaient pleins d'oiseaux de toutes espèces et de toutes couleurs: faisans, perroquets, canaris, coqs d'Inde, rossignols, ramiers, tourterelles. Des sources jaillissaient dans les vallons ombreux. Les prairies à l'herbe luisante et verte étaient couvertes de fleurs.

Le royaume de Badakham était gouverné par des princes qui prétendaient descendre d'Alexandre. Ils se faisaient appeler Zulcarniens (bicorne) parce que les effigies du grand conquérant portaient deux cornes, emblèmes de la force, signifiant qu'il avait vaincu l'Orient et l'Occident. Près de la capitale s'élevait la montagne de Sygniman, renfermant de très beaux rubis. « Le roi les fait extraire pour lui; et nul autre homme que le roi n'oserait aller excaver dans cette montagne, car il serait aussitôt mis à mort; il y va en effet de sa tête et de tous ses biens; et nul non plus ne les peut transporter hors du royaume. Le roi les recueille tous et les envoie aux autres rois, soit qu'il ait à leur payer tribut, soit qu'il veuille les offrir par amitié. Ainsi fait-il pour que les rubis soient rares et de grande valeur; car s'il les laissait exploiter par quiconque, on en extrairait tellement que le monde entier en serait rempli et ils finiraient par être tenus pour vils. Tel est le motif pour lequel il les fait peu exploiter et bien garder. »

D'autres montagnes renfermaient des veines de lapis-lazuli, des mines d'argent. Le royaume produisait de bons chevaux, des faucons sacrés et laniers, de l'huile de sésame, du froment et de l'orge. Les villes et les villages occupaient des positions fortes. Le peuple était fruste: les hommes farouches, muets, grands chasseurs, habiles archers; la coquetterie des femmes consistait à s'enrouler autour des hanches d'interminables pièces d'étoffe qui les faisaient paraître exagérément larges, « car les hommes se délectent fort en cela ».

A douze jours du royaume, dans la direction du Midi, se trouvait la province de Pashaï, habitée par les Kafirs, peuple indépendant que nul conquérant n'avait pu soumettre. Ils étaient de mœurs douces, pratiquaient l'hospitalité avec faste, aimaient le vin, la danse, l'amour. Les hommes portaient des colliers, des bracelets, des boucles d'oreilles, des poignards incrustés de nacre et de perles. Ils étaient bruns de peau, avec des yeux bleus. Quand ils avaient à se défendre, ils se battaient avec un courage féroce, et montraient ensuite orgueilleusement, sur leurs vêtements de fête, les ornements indiquant le nombre des ennemis qu'ils avaient tués. Ils pratiquaient la sorcellerie et avaient fourni aux Tibétains le célèbre Padma Sambhava, un des premiers apôtres du lamaïsme et grand maître dans l'art des enchantements. On les disait de race caucasique.

Le royaume de Kashmir bordait la province de Pashaï. C'était un pays bien défendu, jouissant d'un climat égal et doux, gouverné par un roi qui ne reconnaissait aucune vassalité. Les habitants, bouddhistes, s'abstenaient de viande et de vin, ne tuaient pas d'êtres vivants. Ils parlaient un dialecte tiré du sanscrit, la langue parfaite. Ils possédaient de nombreux couvents habités par des moines qui observaient une chasteté et un jeûne rigoureux. Des ermites centenaires, vénérés comme successeurs de Çakya-Mouni, vivaient dans des grottes de montagnes, tentant d'atteindre, par les pratiques de la méditation, de l'ascétisme et du silence, la merveilleuse extase du nirvâna.

* * *

Marco guéri, les Polo quittèrent l'oasis de Shewa et reprirent leur chevauchée. Ils remontèrent d'abord un autre affluent de l'Amou-Daria, le Vardoj, puis après avoir franchi la passe d'Ish-kashm, retrouvèrent le haut-cours du grand fleuve. Un soleil impitoyable les accablait. La réverbération des eaux, le scintillement d'un sol taché de sel, des poussières fines et tourbillonnantes lassaient leurs yeux, les brûlaient. Le cours du fleuve, jusque-là rapide, devint torrentueux. Il coulait entre des parois lisses et nues, striées de grandes barres horizontales, souvenirs jaune-vert de crues antérieures. Des villages cubiques érigés en citadelles couronnaient le haut des falaises.

La province de Wakham fut atteinte. Son chef, vassal du roi de Badakham, prétendait lui aussi, comme tous les petits souverains des contrées voisines, descendre d'Alexandre. A la chaleur intense des jours précédents avait succédé un froid glacial. Les gens, nourris d'oignons, vivaient dans des cavernes, entassés les uns sur les autres, alimentant un maigre feu avec les excréments séchés de leur bétail. Les bois, déjà rares et clairsemés, s'étaient maintenant évanouis. Les Polo suivaient une piste sinueuse et raide, tracée parmi d'énormes blocs de rocs amoncelés dans un désordre excessif, qui dressaient leurs arêtes aiguës comme une immense forêt pétrifiée. Un vent rageur soufflait, s'engouffrant d'une seule haleine dans les crevasses avec un bruit infernal. Ils voyaient au loin, plus haut encore, la monstrueuse masse des montagnes que coupait le plafond blanc des nuages.

Après trois jours d'une marche harassante, (ils se trouvaient alors à quatre mille mètres au-dessus du niveau de la mer) ils franchirent une vallée bordée d'une muraille abrupte et circulaire qui fermait tout passage. Leurs guides se dirigeaient vers elle au pas tranquille de leurs mules. Quand ils s'en furent approchés et qu'ils eurent atteint le parvis, ils virent soudain, au coude brusque d'un contrefort, la vallée rétrécie s'engager dans une faille du rempart, s'y enfoncer, s'y perdre en couloir qui grimpait en lacets jusqu'aux nuages. Les vents s'étaient tus.

* * *

Ils côtoyaient des précipices, traversaient des passes, franchissaient des cols, prisonniers minuscules des montagnes géantes. Les jours passaient, d'autres montagnes les cernaient, ils se retrouvaient au centre du même encerclement, les mêmes névés bordaient les mêmes moraines, les mêmes parois glacées se succédaient, gris d'acier, bleu de fer, violet sombre, (parfois, à l'aube, pour un moment, teintées du rose des roses de Perse), surplombant une piste suspendue sur des ravins ténébreux comme des puits, les mêmes plateaux nus se chevauchaient, refuges précaires corrodés par le gel, tremblants sous les avalanches, le même silence extraordinaire habitait l'espace que seuls rompaient le cri d'un caravanier, le roulement des cailloux sous le pied des chevaux, et toujours ce cirque inépuisable des montagnes vallonnant l'horizon dressé, vertical, qui se dépliaient avec lenteur, comme un éventail gigantesque et sans fin. Le soir, l'ombre envahissait le fond des gorges, nivelant les plans, noyant les détails, s'élevait peu à peu, rongeait le bas des montagnes, balayait les couleurs des parois, montait aux derniers sommets où vacillaient les dernières traînées lumineuses, et rejoignait brusquement la nuit du ciel.

Ils atteignirent enfin un grand plateau désertique. C'était Pamir. Le Toit du Monde. Les Monts Tsong-ling, que les annales chinoises plaçaient à moitié chemin entre la terre et le ciel. Des jours encore. L'air était raréfié. Les feux donnaient une flamme grêle, fumaient. Nuls vestiges de bêtes, de végétation. Le Plateau n'était qu'une morne solitude refusant la vie, livide, oppressante et froide, au paysage pareil à celui des planètes éteintes qui roulent dans l'infini des espaces.

Un lac apparut. Le Sir-i-kol. Il étendait ses eaux sombres et glacées parmi des rochers noirs au dos arrondi. On le disait d'une profondeur abyssale. On disait aussi qu'il renfermait des tortues géantes, des squales énormes, des dragons crachant le feu. Les glaciers des montagnes environnantes l'alimentaient.

* * *

Ils rencontrèrent plus tard, à l'abri des collines, des vallées moins désolées. Sous la neige mince poussait une herbe drue, fameuse pour les pâturages. La piste était marquée par des cornes de moutons érigées en spirale. [1] Les montagnes les cernaient toujours. Les guides racontèrent des légendes. « A deux cents lis à l'ouest de Kie-p'an-t'o on arrive à une montagne couverte de vapeurs et de nuages. Les bords en sont extrêmement hauts. Ils paraissent sur le point de s'effondrer et restent comme suspendus. Il y a plusieurs années le tonnerre gronda et fit écrouler un pan de la montagne. Dans les grottes ainsi mises à jour se trouvait un religieux assis, les yeux fermés. Il avait une taille gigantesque, son corps était desséché, sa barbe et ses cheveux flottants descendaient sur ses épaules et ombrageaient sa figure. Des chasseurs ou des bûcherons, l'ayant vu, coururent en informer le roi. Celui-ci s'empressa de venir; puis, comme la nouvelle s'était répandue, toute la population accourut aussi. Un moine expliqua ce qu'il convenait de faire. « Celui qui est entré dans l'extase peut y rester pendant un temps indéterminé. Il soutient son corps par la puissance mystique et échappe à la destruction et à la mort. Après avoir été exténué par un si long jeûne, s'il sortait subitement de l'extase il périrait à l'instant même et son corps risquerait de tomber en poussière. Il faut auparavant humecter ses membres avec du beurre et de l'huile pour les assouplir, puis frapper du gong pour le réveiller. » Ainsi fut fait. A l'appel du gong le saint ouvrit enfin les yeux et regarda autour de lui. Puis après une longue pause, il demanda aux assistants: « Vous autres dont la taille est si petite, qui êtes-vous ? » Sur la réponse d'un des moines présents, il demanda des nouvelles de son maître, le Bouddha Kâçyapa, le précurseur de Câkya-Mouni, trépassé depuis des centaines de mille ans. « Il y a bien longtemps, répondirent les moines, qu'il est entré dans le grand nirvâna. » En entendant ces mots, le saint ferma les yeux comme un homme désespéré; puis tout à coup il demanda de nouveau: « Et Câkya-Mouni, a-t-il paru dans le monde ? » « Il s'est incarné, répondirent les assistants, il a dirigé le siècle, et il est entré à son tour dans le nirvâna. » A ces mots, le saint baissa encore la tête. Puis il souleva de sa main sa longue chevelure et s'éleva majestueusement dans les airs. Par un prodige divin, il se changea alors en un globe de feu qui consuma son corps, et laissa tomber sur la terre ses ossements calcinés. »

---

1. Race de moutons appelée « Ovis poli », d'après le nom de Marco Polo.

Le sol s'inclinait peu à peu. Ils virent, de loin en loin, des yourtes misérables abritant des nomades. C'étaient des Khirghiz, bâtards des races blanche et jaune. Ils étaient lâches et pillards, ne supportaient nul chef, se volaient les uns les autres et, à la faveur de la nuit, dévalisaient les caravanes. Ils se nourrissaient d'oignons crus. Les Polo voyagèrent encore quarante jours à travers les montagnes et atteignirent la province de Kashgarie.

CHAPITRE VII

Aprés trois mois d'une marche extrêmement pénible, les Polo retrouvèrent avec joie la plaine, ses herbes grasses, ses arbres verts, ses rivières chantantes, et le splendide repos d'un horizon calme. La Kashgarie s'étendait au pied
des Monts Célestes. Ancien royaume indépendant, la province
était maintenant soumise aux Mongols. Elle produisait du coton,
des vignes. Des ruines de couvents bouddhistes marquaient le passage de Genghis-Khan. Kashgar, la capitale, était une ville populeuse, qui profitait des échanges de l'Inde et de la Chine. On
y voyait quelques églises de Chrétiens nestoriens, des mosquées
mal entretenues, un grand marché central grouillant de chameaux,
de chevaux, de mules, où s'approvisionnaient les caravanes. Les
gens de Kashgar passaient pour avares et incultes.

Laissant la Kashgarie, les voyageurs traversèrent le Quizil-
Daria et virent Samarkand, célèbre au temps des califes, vénérée
comme ville sainte, et où Alexandre, dans un banquet, échauffé
par les libations, tua Clitus de sa propre main parce que celui-ci
avait prétendu que Philippe, père du conquérant, avait été plus
grand que lui. Samarkand était le siège d'un miracle connu de

toute l'Asie. Djagataï, fils de Genghis-Khan, qui gouvernait cette province, s'était fait chrétien, et pour célébrer cette conversion les Chrétiens de la ville avaient élevé une église à saint Jean-Baptiste. Or, pour soutenir une des colonnes principales du temple, ils s'étaient servis comme piédestal d'une énorme pierre ayant appartenu à une mosquée musulmane. Furieux, les Sarrasins n'osèrent réclamer, bien qu'ils fussent supérieurs en nombre aux chrétiens, parce qu'ils craignaient le Khan. Mais celui-ci mourut soudain. Alors les Sarrasins exposèrent leur grief à son successeur, qui leur donna raison. Les chrétiens supplièrent, offrirent de l'argent, rien n'y fit, leurs ennemis sachant fort bien que la pierre enlevée, le temple s'écroulerait. Les chrétiens se mirent alors en prières pendant trois jours et trois nuits. Au matin du quatrième jour, ils virent que la pierre était disparue et que la colonne, reposant sur le vide, supportait toujours la charge du temple.

Puis ce fut le royaume de Yârkand, gouverné par Kaïdou, prince rebelle de la dynastie genghisganide. La capitale, — du même nom — était construite au centre d'une oasis, et fournissait chaque année à la cour de Pékin plus de cinq mille kilogrammes de jade que l'on extrayait du mont Misdjaï, situé à quelque distance de la ville. Le Misdjaï renfermait des jades de toutes couleurs; mais les plus précieux et les plus rares se trouvaient dans les sommets, aux flancs de rocs inaccessibles, contre lesquels luttaient, au mépris de leur vie, des centaines de chasseurs ambitieux. Les pierres les plus convoitées, blanches marbrées de pourpre et vertes veinées d'or, atteignaient un très grand prix.

L'eau de la région était mauvaise; on la recueillait dans des citernes où chacun allait ensuite la puiser. La moitié de la population souffrait du goître. Vers le Midi se trouvait un massif de montagnes habitées par des êtres surnaturels. Le pèlerin chinois Hiuantsang rapportait dans ses récits: « On voit des niches dans les flancs de la montagne et des cellules dans les rochers. Elles sont disposées d'une manière régulière, parmi les grottes et les bois. Beaucoup de saints personnages de l'Inde, ayant obtenu la dignité d'*arhat,* (saint bouddhique) s'élancent dans les aïrs et se transportent en cet endroit au moyen de leurs pouvoirs surnaturels, pour y fixer leur séjour. Aussi en compte-t-on un grand nombre qui sont entrés là dans le silence et l'extinction. En ce moment il y a encore trois arhats qui se sont fixés dans ces grottes escarpées, et qui, après avoir éteint le principe de la pensée, sont entrés dans l'extase complète. Comme leurs cheveux et leur barbe croissent peu à peu, les religieux du pays vont de temps en temps les couper. »

Les Polo pénétrèrent dans la province de Khotan, où commençait l'empire du grand Kaboulaï. Le centre du Khotan, qui formait oasis, était habité par une population bienveillante et riche, aux mœurs policées, de religion musulmane. Sous le nom de Yu-t'ien, cette province avait été au cours des siècles précédents un puissant royaume qui avait dominé tous les pays voisins. On y avait compté jusqu'à cent couvents bouddhistes, plus de cinq mille lamas. On y avait fait très tôt la culture du mûrier et l'élevage du ver à soie, choses jalousement réservées à la Chine impériale. Mais une infante chinoise, ayant épousé un roi de Khotan, avait apporté, cachés dans sa coiffure, des graines de mûrier et des cocons de ver, afin de retrouver un peu de sa patrie sur le sol étranger où le destin allait la contraindre de vivre. Plus tard, du royaume, cette industrie s'était implantée à Byzance. On trouvait aussi dans la province des pierres de jade qui rivalisaient en beauté avec celles du Yarkand. On les recueillait dans le lit de trois rivières: la rivière du Jade blanc, celle du Jade vert, et celle du Jade noir. Une légende voulait que le jade du Khotan fût du clair de lune cristallisé: « Les habitants observent pendant la nuit les endroits où le reflet de la lune est intense et c'est là qu'ils trouvent le plus beau jade. » Hors des murailles de la ville s'élevait un temple dont l'achèvement avait épuisé le règne de trois rois. Les poutres, les piliers, les treillis des fenêtres, les battants des portes étaient recouverts de lames d'or. Une haute tour dominait le temple, d'une richesse inégalable. Enfin la capitale avait été célèbre pour sa musique, pour ses danses, pour le savoir et pour la beauté de ses courtisanes. Au Xe siècle, les Sarrasins s'en étaient emparés, en avaient chassé les bouddhistes. Genghis-Khan à son tour avait écrasé les Infidèles.

* * *

L'oasis franchie, les Polo voyagèrent dans une région désertique, semée de marais asséchés, au sol rouge et poussiéreux, dont les sables renfermaient, au dire des habitants, de grandes villes englouties. Ils traversèrent Pein, capitale à peu près abandonnée, qui vivait maigrement du passage des caravanes. On y observait la coutume des mariages temporaires. Un voyageur pouvait, aux termes de la loi, épouser une femme pour un mois, pour une semaine, ou même pour vingt-quatre heures. La ville franchie, ils abordèrent un désert battu par des vents qui soulevaient les sables en tourbillons et effaçaient la piste des caravanes. Les cours d'eau suivis jusqu'alors, et qui descendaient des montagnes du Sud, venaient s'y jeter, s'y perdaient et disparaissaient. Ils atteignirent Tchertchen, puis chevauchant encore cinq journées dans le désert, ils arrivèrent à Lop.

* * *

Lop était la ville du bout du monde. Derrière elle, une succession de déserts rompus par quelques pauvres oasis rejoignait les massifs montagneux de Pamir; devant elle s'étendait l'immense et terrible solitude du Gobi. Dans sa longueur, la traversée du désert de Gobi prenait plus d'un an. On le disait hanté par des génies malfaisants qui, lançant des appels de détresse, égaraient les voyageurs et les tenaient prisonniers des sables jusqu'à ce que la soif et la faim les eussent tués. Après leur mort, ils grossissaient cette troupe d'esprits vagabonds et cherchaient à leur tour de nouvelles victimes.

Deux routes, celle du Nord, et celle du Sud, s'ouvraient aux Polo pour franchir le désert dans sa partie la moins large. La route du sud était la plus courte, mais des sables mouvants la rendaient extrêmement dangereuse. Elle avait été jadis la voie des invasions. La route du nord prenait environ quarante journées. Les Polo s'y engagèrent.

Ils marchèrent d'abord sur un sol dur, pavé de sel, qui ensanglantait les pieds des chameaux. Bordées de roseaux, des flaques d'eau croupie longeaient la piste. Quelques nomades vivaient là, sous des yourtes, qui, à la vue de la caravane, poussant devant eux leur maigre bétail, fuyaient au-delà des collines. Ils imaginaient la guerre, le pillage, le vol de leurs biens, le viol de leurs femmes, l'engagement forcé sous la morsure des fouets. Depuis un temps immémorial, les armées se servaient des nomades comme guides pour les diriger à travers les sables; vaincues, ou surprises par l'ennemi, elles les faisaient mourir dans les tortures; victorieuses, elles les ramenaient avec elles dans leur pays, afin de les avoir à leur disposition pour les prochaines campagnes. Plus loin, la caravane traversa une région marécageuse où s'entassaient des amas de pierres, vestiges de villes disparues. Ce fut ensuite le vallonnement monotone des sables. La piste était jonchée d'ossements de bêtes. Un soleil jaune, voilé, jetait des feux sourds et tenaces qui embrasaient l'atmosphère. Le sol mou renvoyait aux voyageurs une chaleur de fournaise. Pareil à une vaste mer engourdie, le désert soulevait des vagues immobiles et rondes, striées comme des conques, et dont les bords étincelaient comme des miroirs. De loin en loin, des points d'eau marquaient les étapes. A ces endroits, les sables se faisaient plus sombres, prenaient de la densité. On creusait le sol pour y découvrir une eau saumâtre et pestilentielle.

Au sud-est du désert se trouvait un lac mystérieux, le Lob-Nor. Il était parsemé d'îles, et si vaste qu'il fallait plus de deux mois pour en faire le tour. On le disait migrateur, se déplaçant au gré des esprits, des périodes lunaires. Ses îles étaient habitées par des indigènes vêtus de chanvre sauvage, qui se nourrissaient de poissons et de bambous. Ils vivaient sur des radeaux de bois de tamaris. Le lac était couvert de brouillards. Dans son centre, un gigantesque remous tourbillonnait en cercle, et les oiseaux qui le survolaient étaient happés par le gouffre.

Après avoir franchi une zone encore plus torride, les voyageurs virent peu à peu, aux points d'eau, des herbes percer les sables. Des ruines apparurent, longues murailles rongées de sel, blocs de pierres énormes et sombres jetées au hasard comme par un cataclysme, tours écroulées, enceintes enfouies, et les premières bêtes, lézards, scorpions, maigres chèvres, moutons, et les premiers hommes, nomades farouches et haineux. Ils chevauchèrent encore plusieurs jours et des bouquets de saules, des bois de tamaris, des forêts de peupliers, de longues plaines bruissantes de bambous chantèrent la mort du désert.

* * *

Ils se trouvaient dans la province de Tangout. La première ville qu'ils rencontrèrent se nommait Cha-tcheou. On y cultivait le blé et certains légumes farineux. La proximité du désert, les haltes obligatoires qu'on y faisait, et le point de départ de deux routes qui rejoignaient le centre de la Chine faisaient de Cha-tcheou une ville importante. La majeure partie de sa population professait le bouddhisme. Les bonzeries et les temples étaient nombreux, remplis de milliers d'idoles devant lesquelles on égorgeait des animaux. Les habitants n'enterraient point leurs morts, mais les faisaient brûler. Le jour et l'heure de la crémation étaient fixés par les astrologues. Il se passait souvent des mois avant que ceux-ci n'eussent décidé du moment propice. Le mort était placé dans un cercueil de bois dur, épais, hermétiquement clos, enduit de poix et de bitume, et dans lequel on avait déposé du camphre, des épices et des herbes aromatiques. Et chaque jour on posait des mets devant lui pour nourrir son âme. Quand les astrologues s'étaient accordés enfin sur le jour de la cérémonie, on enlevait le cercueil du logis, mais selon les lois de l'orientation, de sorte qu'il fallait parfois percer les murs à cause des mauvais esprits qui obstruaient les portes. Ces ouvertures étaient ensuite soigneusement refermées pour épargner à la famille de trop douloureux souvenirs.

Le cortège se composait de musiciens, de pleureuses professionnelles, de porteurs d'effigies de carton représentant des esclaves, des poissons, des oiseaux, des mules, des chevaux, des chameaux, des tigres, de l'argent qui devaient être brûlés avec le mort afin que celui-ci pût jouir dans l'autre monde de ses richesses et de ses biens. A quelques pas du lieu choisi pour l'incinération, on élevait une petite maison de bois recouverte d'étoffes brodées d'or et de soie, où un festin avait été préparé. Ainsi, et avec le même faste, le défunt serait-il accueilli dans l'au-delà.

* * *

Au nord-ouest de Cha-tcheou se trouvait la ville de Ha-mi, située entre le Gobi et un autre petit désert, et fondée dès l'époque de la dynastie des Han. Les habitants pratiquaient le culte des idoles. Ils se nourrissaient de légumes et de fruits et observaient curieusement les lois de l'hospitalité. L'étranger de passage était reçu par son hôte avec les marques de la plus grande joie; celui-ci mettait sa maison entière à sa disposition, commandait à sa femme de le traiter comme mari, et poussait la discrétion jusqu'à s'éloigner de sa demeure pendant tout le temps du séjour de l'invité. « Si bien que ce dernier peut profiter de la société de la femme aussi longtemps qu'il le veut, pendant que le mari n'éprouve nulle honte et même s'en fait un grand honneur. Elles sont belles femmes et, dans toute cette province, font leurs maris cornards comme vous venez d'entendre. » Informé de cette coutume, un Khan la trouva révoltante et ordonna, sous les peines les plus sévères, qu'elle fût abolie. Les habitants s'étant réunis délibérèrent; puis ils envoyèrent au Seigneur un très riche présent accompagné d'une supplique dans laquelle ils exposaient que cet usage avait toujours été observé par leurs ancêtres, qu'il renouvelait le sang, qu'il était en outre très bien vu de leurs idoles puisque celles-ci les favorisaient en leur prodiguant des biens de toutes sortes, et qu'enfin, s'ils se voyaient forcés de l'abandonner, ils ne sauraient plus vivre en paix. Le Khan leur répondit: « Puisque vous voulez votre honte, gardez-la ! »

La province de Chingintalas s'étendait au nord-ouest de Hami. Ses habitants portaient des pantalons collants et de hautes bottes; par dérision, on les surnommait « insectes ». Il y avait dans cette province une montagne entourée de laves qui renfermait du minerai d'amiante. Les indigènes imaginaient que c'étaient là des salamandres qu'un phénomène extraordinaire avait pétrifiées, et que la magie empêchait d'être consumées par le feu. D'autres tenaient que c'étaient les ossements spirituels des cent mille saints qui avaient atteint le nirvâna suprême. Les Chinois connaissaient depuis longtemps l'usage de l'amiante. Un Khan avait fait parvenir au Pape une toile tissée dans cette matière, qui servait à envelopper le Saint Suaire de Jésus-Christ.

Les Polo reprirent leur route dans la direction de Khantcheou, capitale du Tangout. Ils passèrent par la ville de Soutcheou, autrefois riche et puissante, maintenant dévastée. Genghis-Khan l'avait sommée de se rendre, ses habitants s'étaient défendus avec obstination; la ville enlevée d'assaut, il en avait fait massacrer tous les habitants sans distinction d'âge ou de sexe.

Kan-tcheou possédait trois églises chrétiennes, de nombreuses mosquées musulmanes, des temples bouddhistes qui alignaient des idoles aux proportions géantes. Un de ces temples mesurait cinq cents mètres de longueur et autant de largeur, et renfermait une idole couchée dont la taille était de cinquante pas. Elle avait une main placée sous sa tête et l'autre appuyée sur sa cuisse. Elle était recouverte d'or. On la désignait sous le nom de Chakamouni fo. Un autre temple montrait une pagode de quinze étages, octogonale, couverte également d'or, haute de vingt mètres. Chacun de ces étages ajourés renfermait d'innombrables statues. La pagode tournait lentement, permettant aux fidèles d'adorer à tour de rôle chacune de ses divinités.

Les mœurs de Kan-tcheou étaient relâchées. « Dans ce pays un homme prend jusqu'à trente femmes, ou moins, selon ses moyens; car selon qu'il a richesse pour les entretenir, il prend autant de femmes; mais la première est toujours la plus considérée. S'il voit que quelqu'une de ses femmes n'est pas bonne, il la chasse, et s'il veut, en prend une autre. Il peut même choisir pour femme, une femme qui aura été à son père, mais jamais sa mère; en résumé, ils vivent comme les bêtes. »

A douze journées de Kan-tcheou se trouvait la ville d'Edzina. Et à quarante journées d'Edzina se trouvait, protégée par trois milles de murailles noires, la cité de Karakoroum. De Karakoroum était parti Genghis-Khan, dont les foudroyantes conquêtes devaient changer la face du monde.

CHAPITRE VIII

Depuis qu'ils avaient quitté le plateau méditerranéen, les Polo n'avaient pas franchi un cours d'eau, visité une ville, parcouru une plaine, escaladé une montagne, traversé un royaume, dépassé une frontière sans que le passage de Genghis-Khan et de ses Mongols n'eût été marqué d'une terrible et mortelle empreinte. Pourtant, trois quarts de siècle plus tôt, ces conquérants du plus grand Empire du monde ne formaient qu'une agglomération de tribus obscures habitant un vaste espace borné au nord par la Sibérie glacée, au sud par le désert de Gobi, à l'est et à l'ouest par les monts Chingan et les chaînes de l'Altaï. Dans le nord, la région du lac Baïkal, couronnée de forêts, fournissait les meilleurs pâturages. En descendant vers le sud, la steppe détruisait les bois, les sables rongeaient peu à peu la steppe, l'étouffaient.

Les Mongols étaient pasteurs et guerriers. Ils s'abritaient sous des yourtes hexagonales et noires, faites de peaux de bêtes, qu'ils pouvaient monter et démonter dans une demi-heure. Ils vivaient à cheval. Leur bétail — avec la guerre — était leur seule richesse; ils se nourrissaient de sa chair, se protégeaient de sa peau, se chauffaient de sa fiente, fabriquaient avec ses os des flèches, des poignées de sabres et de lances. Ils mangeaient indifféremment, cuite ou crue, la chair des chiens, chats, rats, renards, loups. Ils buvaient le lait de leurs juments; quand elles étaient sèches, ils en buvaient le sang; mortes, ils dévoraient leur cadavre. « Les herbes sont là pour les animaux, les animaux pour l'homme ». Ils faisaient avec le lait séché une sorte de brique dure qu'ils apportaient dans leurs expéditions. Ils tiraient aussi du lait fermenté une boisson alcoolique, le koumiss.

Les hommes ne s'occupaient que de chasse et de guerre. Dans les intervalles, ils se provoquaient à la course, tenaient des combats singuliers, et s'enivraient dans d'interminables beuveries. La saleté était une vertu; des défenses rituelles condamnaient les ablutions. Les femmes vaquaient aux travaux domestiques, soignaient le bétail. Elles allaitaient leurs enfants jusqu'à l'âge de cinq ans; elles vendaient le lait qu'elles avaient de reste. Elles étaient fidèles et chastes.

Entre amis, la loyauté était de règle; vis-à-vis de l'ennemi, toutes les ruses étaient bonnes, et les serments les plus sacrés n'avaient pas à être tenus. Les Mongols croyaient à un Dieu invisible, et à une survie qui ne serait que la prolongation de leur existence actuelle. Ils possédaient des divinités familiales, faites de feutre et de cuir, qu'ils mêlaient aux actes de leur vie quotidienne, à qui ils donnaient femmes et enfants, qu'ils nourrissaient chaque jour en frottant leur visage de la graisse du repas. Ils étaient polygames. A la mort du père, le fils aîné épousait ses veuves, sauf sa propre mère. Le frère épousait également les femmes de son frère défunt. Les tribus avaient comme chefs des princes héréditaires, les Khans.

* * *

A l'ouest des régions occupées par les Mongols, Prêtre-Jean dirigeait une confédération de tribus nomades qui lui donnait le contrôle des steppes. On le disait chrétien nestorien. Le mystère dont il s'était toujours entouré avait fait de lui un être de légende. Il était Khan des Kéraïtes et vivait de pillages. Il s'était allié le chef de la petite horde des Mongols, Issoughaï.

Celui-ci prêtait à sa dynastie une origine surnaturelle. Un ancêtre avait passé deux ans à la guerre. A son retour, il avait retrouvé sa jeune femme enceinte. Elle lui expliqua qu'une nuit, comme elle était couchée et que le sommeil tardait à venir, elle avait vu pénétrer soudain à travers une déchirure de la tente un long rayon lumineux paraissant descendre directement d'une étoile et qui avait pris ensuite la forme d'un garçon blond aux yeux bleus. L'inconnu s'était avancé vers elle et, à plusieurs reprises, lui avait touché le sein. A partir de cette nuit, elle s'était sentie grosse. Les descendants de l'enfant du miracle s'étaient distingués par mille prouesses. Le grand-père même d'Issoughaï, à l'issue d'un festin donné à la Cour de Chine, avait eu l'audace, comme il était ivre, de tirer la barbe du Fils du Ciel. L'empereur, d'abord stupéfait, puis amusé, l'avait renvoyé dans ses steppes après l'avoir comblé de présents.

Issoughaï, à la tête d'une vingtaine de mille cavaliers, louait ses services tantôt à l'Empereur de Chine, tantôt à Prêtre-Jean. Il avait d'ailleurs réussi à conclure avec le Khan l'alliance inviolable, et ils avaient bu une coupe pleine de leurs sangs mêlés. Mais Issoughaï mourut soudain. Il laissait une veuve et des enfants en bas âge dont l'aîné, Temudjin, avait treize ans.

Les Mongols, qui ne respectaient que l'autorité appuyée sur la force, ne servaient leurs princes que quand ils leur apportaient des avantages. Ils s'emparèrent une nuit du bétail de la veuve et coururent se mettre sous les ordres d'un prince de la branche collatérale de la dynastie. A dix-sept ans, Temudjin épousa la fille du chef d'une tribu voisine, à qui on l'avait fiancé dès sa naissance. Il vivait avec sa mère dans une extrême pauvreté, chassant et se cachant et déjouant les mille embûches que ses ennemis lui tendaient. Ceux-ci savaient que le lionceau muait, aiguisait ses dents, qu'il deviendrait un jour vigoureux et fort, et que s'il ne disparaissait pas, il saurait réclamer durement ses droits. Temudjin laissait passer les jours, attendait ce jour.

Dans une embuscade, ils lui enlevèrent sa jeune femme. Il put la leur reprendre quelques mois plus tard. Elle était enceinte et il ne sut jamais si leur fils aîné, Djoutchi, était de son sang. Mais il connut dès lors la mesure de ses ennemis. Il préparait son heure avec une patience sauvage et sombre.

Par son mariage, la tribu de sa femme était devenue son alliée. Sa mère lui apporta un autre appui en épousant un grand-prêtre chamanite qui jouissait auprès des nomades d'une éclatante réputation de magicien. Des familles errantes vinrent se joindre à lui. Il passa à l'offensive, connut des succès de guérillas. Dans la steppe, autour des feux, on parla bientôt de son adresse et de sa force. Il était de haute taille, roux, avec des yeux clairs. D'autres tribus se rallièrent à la sienne. Enfin, quand il se crut assez puissant, il attaqua brusquement ses voisins, les vainquit, se fit reconnaître Khan de la Mongolie orientale. Parmi les vaincus se trouvaient les spoliateurs de son héritage et les ravisseurs de sa femme. Il les fit cuire longuement, tout vifs, dans de grandes cuves qu'il avait fait disposer à cet effet; leur chair fut distribuée aux chiens, les chiens livrés ensuite à la voracité de leurs fidèles.

Plus tard, la Chine du Nord voulut réduire certaines tribus trop remuantes de l'Altaï et du Baïkal. Temudjin offrit ses services, fit la guerre pour le compte de la Chine, remporta des victoires, exigea de la Chine des armes, de l'argent, des titres, obtint tout. Le petit orphelin contrôlait maintenant la moitié de la steppe. L'autre moitié appartenait à Prêtre-Jean. Temudjin attendait encore. Si son ambition grandissait démesurément, sa patience était sans limites.

Prêtre-Jean vieillissait. Des intrigues se nouaient autour de sa faiblesse. Des princes vassaux se révoltèrent. Informé par ses espions, Temudjin accourut, lui offrit son aide, son or, ses cavaliers. Le vieillard, tremblant d'émotion, le pressa sur son cœur, accepta. Il reconnaissait là, disait-il, le fils de son vieil ami Issoghaï, voulut répéter avec lui le serment du sang. Temudjin le nomma son père.

La rébellion fut vite matée. D'autres expéditions furent faites, qui furent heureuses. Prêtre-Jean s'attachait de plus en plus à Temudjin; son affection pour lui s'accroissait du remords de ne pas l'avoir soutenu quand il était seul et trahi par tous: il le comblait maintenant de toutes les faveurs. (Comme si l'on pouvait jamais réparer l'injustice !) Mais Prêtre-Jean avait un fils qui prit peur, qui flairait dans toute cette amitié une captation d'héritage. Il s'ingénia à provoquer les sujets de brouille entre les deux alliés. Lors d'un partage de butin, il frauda grossièrement le Mongol, espérant la colère, l'éclat, la rupture. Temudjin fit l'aveugle: il avait d'autres vues, et le fils du vieillard les servait admirablement. Entre temps, il se faisait chaque jour de nouveaux partisans dans le camp des Kéraïtes.

Un jour vint cependant où le Fils de Prêtre-Jean, que la haine étouffait, porta un coup dépassant toute mesure. Mais alors Temudjin était prêt. Il feignit une surprise extrême, prit les chefs à témoin de son humiliation, parla de foi trahie, d'amitié rompue, et se retira sous sa tente en proie à la plus vive douleur. Quand il eut achevé de mettre ses troupes sur un pied de guerre, il adressa ce message à Prêtre-Jean: « As-tu oublié que, de même que mon père t'a sauvé d'un grand danger, je t'ai moi-même toujours aidé ? Quand tu es venu à moi, tu étais maigre, mais je t'ai rendu gras. Ton corps décharné regardait à travers ses haillons comme le soleil à travers les nuages. Je t'ai alors donné des habits. Sois de nouveau mon père et laisse-moi être ton fils ».

Prêtre-Jean regrettait le Mongol. Il le chérissait plus qu'il n'avait chéri aucun homme. Plus que son fils. Ces mots l'émurent, le troublèrent. Ces nouveaux remords, joints aux anciens, augmentaient son désir de réconciliation. Il répondit à Temudjin, réclamant son pardon, le suppliant de venir pour renouveler l'alliance du sang. Et il commanda que l'on préparât de grandes fêtes. Mais déjà les cavaliers du Mongol galopaient à travers la steppe. Ils tombèrent comme la foudre sur les Kéraïtes, les massacrèrent. Le vieillard fut tué comme il tentait de s'enfuir. Son fils mourut dans les tortures.

*　*　*

Temudjin se voyait désormais maître absolu de la steppe. Dans l'automne, il convoqua les chefs des tribus alliées et soumises. Il y avait là des Merkites, des Kéraïtes, des Kirghiz, des Tartares, des Turcomans, d'autres encore. Le grand-prêtre chamanite ouvrit l'Assemblée — le Kouraltaï — en déclarant qu'il venait de recevoir une communication des dieux, qui lui commandaient de choisir Temudjin comme prince de toutes les hordes du désert. Son nom devait être Genghis-Khan, c'est-à-dire le plus puissant des Khans. Temudjin se leva et dit qu'il acceptait avec joie de se prêter à la volonté des dieux; qu'il offrait à toutes les tribus présentes, en retour de leur soumission, le glorieux titre de Mongols, et qu'il leur promettait, lui, Genghis-Khan, s'ils lui demeuraient fidèles, de les conduire à la conquête du monde.

Il leur récita les principaux passages d'un code de législation qu'il avait rédigé. Ce livre se nommait le Iassa. On y voyait d'abord ceci: « De même qu'il n'y a qu'un Dieu invisible dans le ciel, il n'y a qu'un Maître sur la terre. C'est moi: Genghis-Khan. » Plus loin: « Le devoir des Mongols est de venir quand j'appelle, d'aller quand j'ordonne, de tuer qui j'indique. » Plus loin encore: « Il est interdit de conclure la paix avec un ennemi qui ne s'est pas encore soumis. Doit être traité et considéré comme ennemi celui qui reçoit des fugitifs. » Et puis: « Il y aura dans le moins un mariage par an et par yourte. » Et aussi: « Le plus grand bonheur des Mongols est de vaincre l'ennemi, de ravir ses trésors, de faire hurler ses serviteurs, de se sauver au galop de ses chevaux bien nourris, de se servir du ventre de ses femmes et de ses filles comme de couche et de prendre plaisir à leur beauté. »

Tous étaient tenus de payer l'impôt, sauf les prêtres, les artistes, les savants. Tous les hommes valides faisaient partie de l'armée. En temps de guerre, celle-ci ne devait vivre que de ce qu'elle prenait à l'ennemi. Son organisation intérieure était essentiellement démocratique. Chaque unité, ou *touman,* était composé de dix mille cavaliers. Dix hommes se choisissaient un chef; ces dix chefs se nommaient un supérieur; ceux-ci, commandant chacun cent hommes, désignaient un officier; les dix officiers élisaient le général du touman. Genghis-Khan tenait le commandement suprême.

La clôture du Kouraltaï ouvrit l'ère des conquêtes les plus étonnantes qui se soient jamais vues.

* * *

D'abord, Genghis-Khan se tourna vers ses voisins immédiats. A l'ouest de la Mongolie se trouvait le royaume de Kashgarie, habité par les Khitan; au sud-ouest, le royaume des Hia, pays

74

des Tangout; au sud, la Chine du Nord, sous la dynastie des Kin. Les Kin se plaignaient du voisinage des Tangout, qui pillaient leurs frontières. Au nom et à la solde de l'empereur Kin, Genghis-Khan courut réduire les Tangout, s'en fit vite des alliés, (les nomades ne sont-ils pas tous frères de sang ?) revint brusquement sur la Chine du Nord avec les vaincus, déclarant insolemment qu'il voulait venger les affronts subis par ses nouveaux amis. Il pénétra dans Pékin au bout d'un an. L'incendie du palais impérial dura trente jours.

. De retour à Karakoroum, où il avait établi sa capitale, il poursuivit la préparation de ses prochaines conquêtes. La Chine du Nord asservie, il avait envoyé des émissaires en Chine septentrionale pour y fomenter des troubles. Mais ce beau fruit n'était pas mûr encore. Il regarda vers l'Ouest.

En soi-même, la Kashgarie offrait peu d'intérêt. Ses habitants, (d'autres nomades) vivaient de leur bétail, du pillage, et des impôts qu'ils percevaient sur les marchandises qui entraient en Chine et qui en sortaient. Mais ils tenaient la clef d'une partie de « la route de la soie ». Et surtout, les frontières occidentales de la Kashgarie ouvraient sur l'Islam, sur les merveilleuses richesses des Califes. Le chah Mohamed, seigneur des Croyants, commandait cet immense territoire qui s'étendait du golfe Persique à la mer Caspienne, des côtes brûlantes de l'Arabie aux pentes neigeuses du Pamir. On le nommait l'Ombre d'Allah. Son ambition égalait celle du Mongol.

A Kashgar, une révolution de palais éclata, sans doute provoquée par les espions de Genghis-Khan. Mohamed menaça d'envahir le royaume. Au su de cette nouvelle, qu'il attendait, Genghis-Khan accourut au galop de ses cavaliers. On le reçut comme un protecteur. Il joua de la corde raciale, fit de ces nomades des Mongols, devint le Libérateur. Les deux plus grandes puissances d'Asie se trouvèrent alors face à face. Seules, de hautes montagnes les séparaient.

Le Mongol n'agissait jamais sans garder pour lui les apparences du droit. Doué du génie des armes, ce Barbare possédait également le sens de la loi. Il dépêcha à Mohamed un ambassadeur chargé de régler un incident de frontière. Il savait que cet envoyé avait autrefois trahi Mohamed, que Mohamed le savait. Fou de colère, Mohamed fit trancher la tête du transfuge. Genghis-Khan réunit ses chefs, son peuple, pleura devant tous sa honte. Serait-il contraint de venger par le fer et par le feu l'outrage subi ? Il leur déclara qu'il avait besoin de méditation, de la lumière des dieux, qu'il allait se réfugier pour quelques jours dans la solitude des montagnes afin de trouver la juste voie. De retour à Karakoroum, il adressa ce message à Mohamed: « Tu as choisi la guerre. Le Ciel seul sait comment la chose se décidera entre nous. »

Il prépara sa campagne, ne laissant rien au hasard, à l'improvisation. Il connaissait par ses espions la force de son ennemi, le nombre de ses troupes, la valeur de ses généraux, le courage ou la faiblesse de ses princes, leurs vices, leurs ambitions, leurs alliances, leurs rivalités, l'état de ses routes, la position de ses forteresses, les variations de son climat, la condition des peuples de chacun des royaumes. Tout fut réquisitionné, chez lui, qui pouvait servir la guerre. Chaque cavalier eut plusieurs chevaux de réserve. Des provisions de viande séchée et de lait durci furent accumulées. Le bétail devait accompagner les troupes. Les filles fortes, et habiles au tir de l'arc, firent couper leur chevelure et s'engagèrent.

Le Mongol disposait de vingt toumans, qu'il partagea en trois colonnes. Il commandait la plus importante; ses quatre fils dirigeaient les deux autres. Il se dirigea lui-même vers le nord-ouest; la seconde colonne prit la route du sud-ouest; la troisième, celle de Djoutchi l'aîné, qui était la moins nombreuse, n'étant composée que de deux toumans, devait servir de troupe de choc et d'assaut et piqua vers l'ouest, droit sur Mohamed.

Quand Djoutchi, après des semaines de montagne, ses cavaliers affamés et las, vit dans la plaine les tentes blanches de Mohamed, il ne voulut point, malgré l'avis de ses généraux, se reposer quelques heures, différer la rencontre. « Que dirait mon père ? » s'écria-t-il. Il fonça sur les Croyants, se battit jusqu'à la nuit, souffrit de lourdes pertes. Il fit alors établir de grands feux de bivouac devant le camp de son adversaire. Celui-ci, supérieur par le nombre, se dit qu'il couronnerait le lendemain la victoire amorcée le jour même. A l'aube du lendemain, sous les feux clignotants des Mongols, les troupes de Mohamed se préparaient à charger quand elles ne virent devant elles qu'un vaste espace désert. Djoutchi s'était évanoui sans laisser de traces.

D'abord inquiet, flairant le piège, puis des jours s'étant passés sans alertes, Mohamed vit dans cet abandon la preuve de sa valeur invincible. Poursuivre ces Barbares à travers les montagnes, à quoi bon ? La terreur et la honte ne les marquaient-ils pas à jamais ! Il haussait les épaules en pensant à leur puérile audace. Il ordonna de grandes fêtes, et de l'or et des titres furent distribués à ses généraux.

Cependant, comme de monstrueuses tentacules, les colonnes de Genghis-Khan, broyant tout sur leur passage, avançaient, se rapprochaient, et se refermant peu à peu, enveloppaient Mohamed. Au jour fixé, Djoutchi dévala brusquement de sa retraite dans un galop d'ouragan. Les Croyants furent massacrés.

Une à une, comme on déroule les grains d'un chapelet, les Mongols ravagèrent les villes. Avant l'attaque, ils poussaient devant eux des bandes de captifs qui recevaient les premiers coups des défenseurs; les survivants étaient ensuite égorgés. Ils logeaient leurs chevaux dans les mosquées lambrissées d'or, détruisaient les monuments, les œuvres d'art, incendiaient les bibliothèques, violaient les femmes nobles, castraient les princes avant de les embrocher sur le pal. Certaines villes furent entièrement rasées, où ils ne laissèrent aucun être vivant, où ils massacrèrent même les chiens et les chats. « Semez-y de l'herbe », disait le Mongol. Il rêvait de transformer le monde entier en une immense steppe couverte du bétail et des yourtes de ses nomades.

Mohamed avait pu s'enfuir. Genghis-Khan lança vingt mille cavaliers à ses trousses. Il lui fallait Mohamed, mort ou vif. Les cavaliers le poursuivirent jusqu'aux rives de la Caspienne où ils trouvèrent son cadavre, dans une petite île, veillé par sa mère. Ils expédièrent les restes de Mohamed et sa mère à Genghis-Khan. Plus tard, dans le palais de Karakoroum, la vieille, devenue folle, suçait les os que le Mongol et ses princes lui lançaient sous les tables, en riant, au cours des banquets.

Cette mission accomplie, les vingt mille cavaliers continuèrent leur chevauchée de cauchemar à travers l'Arménie, la Géorgie, semant partout l'épouvante et la dévastation. Puis ils franchirent le Caucase, soumirent les Kiptchak de la Russie méridionale, pénétrèrent dans la Russie du centre où ils s'amusèrent à torturer les grands-ducs, descendirent vers le sud-est et gagnaient la Pologne quand Genghis-Khan les rappela. Ils étaient partis depuis quatre ans.

* * *

Le Mongol éprouvait le besoin de faire le compte de ses conquêtes. Ses victoires étaient innombrables. Il avait tué plus de quinze millions de musulmans. Son empire s'étendait de la mer de Chine au golfe Persique, des steppes sibériennes aux régions chaudes de l'Inde. Mais il se sentait las et désirait le repos. L'âge le tourmentait. La nuit, il avait des songes cruels, s'épuisait vainement à vouloir pénétrer leur signification, leur secret. Il voulut réunir ses fils. Djoutchi, brouillé avec ses frères, refusa de venir. Le mot bâtard brûlait depuis trop longtemps son orgueil. Il vivait retiré dans son royaume du Caucase, chassait le sanglier, l'ours, entraînait des troupes montagnardes en compagnie de son fils Batou, qui tenait de lui son caractère dur et farouche. Le Mongol ne put cacher sa peine. Oubliait-il qu'il avait détruit plus de familles qu'aucun homme au monde ? La tristesse l'envahissait... Cependant Ogotaï, Djagataï, Touloui étaient accourus. Ce dernier avait un jeune fils du nom de Koubilaï. Le Mongol disait de lui à ses familiers: « Faites attention à ce que dit cet enfant, la sagesse est en lui. »

Un événement soudain réussit à secouer la torpeur du Conquérant. Le roi des Hia s'était révolté, puis s'était barricadé dans sa capitale avec des soldats de choix. Genghis-Khan ne croyait pas aux longs sièges, qui épuisent et découragent les assaillants. Quand il ne pouvait s'emparer d'une place forte par le moyen d'attaques brusques, massives et précipitées, il employait la ruse, en quoi il était également passé maître. Il commença de négocier avec le rebelle, qui ne soupçonna pas le piège, tant il était grossier, et qui accepta de se porter à la rencontre du Mongol afin de sceller dans les réjouissances une réconciliation bienheureuse. C'est alors que le Grand-Khan dut s'aliter. Sa faiblesse était si grande qu'il vit que c'était sa fin. Les rumeurs de palais répandirent le bruit que la fille du roi des Hia, qu'il avait faite captive, et dont il avait abusé, lui avait infligé, la nuit du viol, par des incantations magiques, un mal mortel. Il réclama ses fils, seul Touloui put se rendre à son chevet avant sa mort. Il le supplia de vivre en paix avec ses frères, d'observer rigoureusement les commandements du Iassa. Il remit à ses généraux les plans qu'il avait préparés en vue de la conquête de la Chine du Sud et leur dit: « Exterminez la population du Hia sur ma tombe. » Il défendit d'annoncer à quiconque la nouvelle de sa mort avant que l'opération concernant les Hia ne fût terminée et mourut en répétant encore qu'il fallait suivre les lois.

La dépouille de Genghis-Khan, suivie d'un long cortège, prit le chemin des steppes natales. Tous les êtres vivants, hommes et bêtes, furent exterminés, qui se trouvaient sur le passage du convoi funèbre. A l'emplacement choisi, et tenu jalousement secret, une immense fosse fut creusée, où l'on descendit la tente et les trésors personnels du Conquérant. Et là, au centre de la yourte, droit sur son cheval favori, le visage fixé vers le Sud, fut enseveli le Mongol.

CHAPITRE IX

LES POLO, après avoir parcouru durant cinq jours une région « où l'on entend de nuit maints esprits parler », atteignirent un royaume appartenant au Grand-Khan, dont les villes principales se nommaient Lian-tcheou et Sin-tcheou. Le pays produisait des bœufs gigantesques, à longs poils, que l'on domestiquait en bas âge, et qui servaient ensuite de bêtes de trait et de labour. On y trouvait aussi un animal sauvage, vif comme la gazelle, fort recherché pour la saveur de sa chair et pour son musc, produit qui était à la base de la thérapeutique chinoise. D'innombrables quantités de faisans peuplaient la plaine. Certains atteignaient, du bec à l'extrémité de la queue, une longueur de deux mètres. On attendait pour les chasser qu'il pleuve; leurs plumes alourdies par l'eau les empêchant de voler, on les assommait à coups de bâton.

Les habitants étaient en partie bouddhistes. « Les gens qui sont idolâtres sont de gras individus, avec un petit nez et les cheveux noirs; ils n'ont pas de barbe, sauf quelques poils à la moustache. Les femmes sont très blanches et très belles de toutes façons. Ils se délectent beaucoup dans la luxure et prennent de nombreuses femmes; car ni leur religion ni leurs usages ne le leur défendent. Et s'il y a quelque femme de vile extraction, pourvu qu'elle soit belle, elle sera recherchée en mariage par les plus grands du pays. Et encore donneront-ils au père et à la mère de la fille de l'or en grande quantité, selon qu'il aura été convenu. »

Poursuivant leur voyage, les Polo traversèrent le royaume d'Egrigaia, pays du chameau blanc, dont la laine, tissée selon des procédés spéciaux, se rapprochait de la soie. A Carachan, l'une des villes les plus prospères du royaume, qui avait été la résidence des derniers rois du Tangout, et où ils avaient achevé de se détruire dans l'oisiveté et dans les débauches, les voyageurs rencontrèrent les envoyés venus au-devant d'eux sur le commandement de Koubilaï. Ils étaient vêtus de longues robes de soie brodée d'or et de pierres précieuses. Ils leur apportaient, avec les saluts de l'Empereur, et l'expression de son grand désir de les recevoir dans son palais estival de Chang-tou, où ils seraient accueillis comme ses fils, des présents de toutes sortes, bijoux, soieries, armes, chevaux.

Ils firent route ensemble pour Chang-tou.

* * *

Le royaume de Tenduc se trouvait à l'est d'Egrigaia. Il était gouverné par un petit-fils de Prêtre-Jean, prince vassal de Koubilaï, qui pratiquait le rite des chrétiens nestoriens. Par faveur extraordinaire, les rois de Tenduc épousaient tous des princesses de la famille impériale. Les gens du pays vivaient de commerce, de la fabrication de draps d'or et de soie, de l'exploitation de riches mines d'argent, de chasse, d'élevage et de culture. Mais jadis, à l'aube même des temps, le nom seul des hordes occupant la région avait semé l'effroi dans tout le monde connu. C'était l'ancien pays de Gog et de Magog, ancêtres présumés des Scythes d'Hérodote, de qui les Tartares et les Mongols prétendaient descendre. Les Polo se rappelèrent l'étonnante prophétie d'Ezéchiel:

« ... Voici, j'en veux à toi, Gog,
Prince de Rosch, de Méschec et de Tubal !...
Je t'entraînerai, et je mettrai une boucle à tes mâchoires;
... En ce jour-là des pensées s'élèveront dans ton cœur

Et tu formeras de mauvais desseins

Tu diras: Je monterai contre un pays ouvert,

Je fondrai sur des hommes tranquilles,

En sécurité dans leurs demeures,

Tous dans des habitations sans murailles,

Et n'ayant ni verrous ni portes;

J'irai faire du butin et me livrer au pillage,

Porter la main sur des ruines maintenant habitées,

Sur un peuple recueilli du milieu des nations,

Ayant des troupeaux et des propriétés,

Et occupant les lieux élevés du pays...

...Oui, le jour où mon peuple d'Israël vivra en sécurité,

Tu le sauras.

Alors tu partiras de ton pays, des extrémités du septentrion,

Toi et de nombreux peuples avec toi,

Tous montés sur des chevaux,

Une grande multitude, une armée puissante.

Tu t'avanceras contre mon peuple d'Israël,

Comme une nuée qui va couvrir le pays.

Dans la suite des jours, je te ferai marcher contre mon pays,

Afin que les nations me connaissent,

Quand je serai sanctifié par toi sous tes yeux, ô Gog !...

... En ce jour-là, le jour où Gog marchera contre la terre d'Israël,

Dit le Seigneur, l'Eternel,

La fureur me montera dans les narines.

Je le déclare, dans ma jalousie et dans le feu de ma colère,

En ce jour-là, il y aura un grand tumulte

Dans le pays d'Israël.

Les poissons de la mer et les oiseaux du ciel trembleront devant
moi,

Et les bêtes des champs et tous les reptiles qui rampent sur la
terre;

Et tous les hommes qui sont à la surface de la terre...

... Voici, j'en veux à toi, Gog,

Prince de Rosch, de Mischec et de Tubal !

Je t'entraînerai, je te conduirai,

Je te ferai monter des extrémités du septentrion,

Et je t'amènerai sur les montagnes d'Israël.

J'abattrai ton arc de la main gauche,

Et je ferai tomber tes flèches de ta main droite.
Tu tomberas sur les montagnes d'Israël,
Toi et toutes tes troupes,
Et les peuples qui seront avec toi;
Aux oiseaux de proie, à tout ce qui a des ailes,
Et aux bêtes des champs je te donnerai pour pâture.
Tu tomberas sur la face de la terre,
Car j'ai parlé, dit le Seigneur, l'Eternel.
J'enverrai le feu dans Magog...
... Et ils sauront que je suis l'Eternel. »

C'était aussi contre ces peuples qu'Alexandre s'était défendu. La légende rapportait que le Conquérant avait attiré dans une gorge étroite et sans issue vingt-deux nations barbares avec leurs rois et qu'il avait refermé sur elles sa fameuse Porte de Fer.

* * *

La succession de Genghis-Khan ne pouvait être ouverte qu'a-près la période du deuil, qui durait quatre ans. Alors aurait lieu l'élection du nouveau maître de l'Empire. Quand le temps fut ve-nu, on réunit le Kouraltaï. Djoutchi le taciturne venait de mourir, son fils Batou le remplaçait. Les trois autres fils du Mongol ac-coururent à Karakoroum: Djagataï de son nouveau royaume de Perse, Igotaï de son nouveau royaume de la Chine méridionale, Touloui du fond de son nouveau royaume de Mongolie. Chacun eût pu réclamer des droits au grand-khanat, et même Batou, com-me fils de l'aîné. Personne ne le fit. Au contraire Ogotaï, que Genghis-Khan avait souvent mentionné comme son successeur immédiat, ne tenait pas à la couronne impériale, et proposa Tou-loui. Mais d'autres princes eussent pu se récrier, profiter de la circonstance pour semer la division. Il fallait éloigner tout sujet de futures querelles. Le Mongol disait: « Une seule flèche peut être facilement brisée, mais un faisceau de flèches est solide et résiste à l'effort. » Ogotaï fut élu.

Il inaugura son règne par de grandes cérémonies où furent sacrifiées quarante vierges et princesses livrées par leurs familles en offrande à Genghis-Khan, afin qu'il pût, dans l'au-delà, prendre sa part des réjouissances. Puis il fit distribuer ses trésors à son peuple. Les fêtes terminées, il se montra juste et bienveillant. « Il trônait du matin au soir dans une tente blanche tapissée de pourpre, couché sur des peaux de tigre, buvant et mangeant, recevant les ambassadeurs des pays lointains, acceptant sans souci des présents et les distribuant. » Mais cette nonchalance n'était qu'apparente. Il voyait clair et faisait respecter le Iassa. Il s'empressa d'organiser l'administration des derniers pays conquis, choisissant lui-même les gouverneurs, les ministres, renforcissant les garnisons, ouvrant de nouvelles routes, régularisant le système des impôts, supprimant les octrois, fondant des écoles pour les fonctionnaires, limitant les privilèges de la noblesse, imposant partout les principes du Livre. Il partageait vis-à-vis des religions l'indifférence personnelle du Mongol; elles demeuraient libres dans les limites où elles ne s'annonçaient point un danger pour le prestige ou la sécurité de l'Etat.

Il voulut aussi poursuivre les conquêtes de son père. (Le désir du mourant au sujet des Hia avait été durement respecté. Quand le roi se fut approché avec sa suite, on se saisit d'eux et on les exécuta. La capitale fut entièrement saccagée. Un massacre général n'épargna qu'un cinquantième de la population de ce peuple.) La plus grande partie de la Chine du Nord avait été conquise. Il ne restait à l'Empereur Kin que la province du Honan. Ogotaï, suivant à la lettre les plans laissés par le Mongol, s'allia d'abord aux Soung de la Chine méridionale afin de faire passer des troupes sur leur territoire et de pouvoir attaquer ainsi, et dans le même temps, la province par le nord et par le sud. Traqué, forcé, l'Empereur dut se réfugier dans sa capitale de Kaïfong-fou. Bientôt affamée, réduite par la peste, la ville se livra. Le vieux Kin put s'évader, gagner une île se trouvant au centre d'un lac, où s'élevait une forteresse. Ogotaï assécha le lac, courut sur l'île. L'Empereur fit alors mettre le feu aux quatre coins de son palais, réunit ses femmes, qui étaient au nombre de cent, et se pendit au milieu d'elles.

Après avoir fêté sa victoire, Ogotaï divisa ses troupes en quatre armées. La première, commandée par son fils Gouiouk, marcha sur la Chine méridionale. (L'alliance avec celle-ci ayant été rompue sous un fallacieux prétexte, après la guerre du Honan.) La seconde fut dirigée vers la Corée. La troisième descendit vers les Indes. Enfin la quatrième, avec Batou fils de Djoutchi, reprenant la route des Vingt Mille, galopa vers l'Occident.

Ce fut d'abord, pour Batou, le saccage de la Russie. Il incendia Kiev, Vladimir, Moscou. Puis ayant réparti son armée en quatre corps, il descendit sur la Pologne et sur la Hongrie. Cracovie fut enlevée sans peine. Le duc de Silésie et le roi de Bohême rassemblèrent en hâte leurs cavaliers, mais vainement; leurs lignes furent percées, le duc tué, leurs soldats égorgés dans une effroyable boucherie. Après la bataille, Batou, à son quartier général, reçut cinq cents sacs remplis d'oreilles de chrétiens. La Hongrie fut ensuite envahie, conquise. On vit bientôt, la misère les poussant, les nobles Hongrois vendre leurs filles aux chefs barbares. Enfin Batou franchit le Danube, pénétra en Autriche, en Dalmatie. L'Europe entière était en proie à la plus indicible terreur.

Les trois autres armées d'Ogotaï multipliaient également les victoires. La Corée était prise. Dans les Indes, les Mongols occupaient le royaume de Kashmir. Gouiouk triomphait en Chine méridionale. Ogotaï gagnait sur tous les tableaux.

Cependant, Ogotaï avait un vice: l'alcool. Des abus sans cesse croissants altérèrent sa santé. Toulouï, qui lui portait la plus grande affection, obtint sa promesse qu'il ne boirait, chaque jour, qu'un certain nombre de coupes. Ogotaï tint son serment, mais fit agrandir ses coupes. Il devint si gravement malade que ses familiers le crurent perdu. Toulouï accourut à son chevet, offrit aux dieux sa propre vie en échange de celle de son frère. Et s'emparant alors d'un breuvage que les magiciens destinaient au moribond, il le but d'un seul trait et tomba foudroyé. Ogotaï se rétablit, mais de nouveaux excès le tuèrent quelques mois plus tard. Comme l'élection ne pouvait avoir lieu pendant la période du deuil, Djagataï, seul survivant des fils du Mongol, remplaça provisoirement l'Empereur. Mais il mourut, victime lui aussi de l'alcool, avant que le terme ne fût échu.

La succession du premier Grand-Khan se trouvait ouverte à ses petits-fils. Il y avait Batou et Barka, fils de Djoutchi; Mangou, Koubilaï, Houlagou, Arikbougra, fils de Toulouï; Gouiouk, fils d'Ogotaï Djagataï ne laissait pas d'héritiers légitimes.

Après une régence de cinq ans, Gouiouk fut élu empereur. Des princes et des ambassadeurs de toutes les parties du monde vinrent assister aux fêtes du couronnement, apportant des cadeaux, des hommages, des projets d'alliance, des protestations d'amitié, des serments de vassalité. Plus de deux mille tentes couvertes de drap de soie avaient été dressées pour recevoir les dignitaires. Rome même avait délégué deux moines. Leurs humbles présents provoquèrent de grands éclats de rire. Une lettre du Pape, digne et sévère, fut lue dans la stupéfaction générale. Le Pontife blâmait avec énergie la conduite des Mongols en Europe et les menaçait, en cas de récidive, des foudres du Ciel; il demandait en outre au Khan de se laisser baptiser, lui et son peuple. Gouiouk répondit non sans insolence que les Mongols tenaient de Dieu même la mission de conduire les peuples de l'univers; qu'il lui apparaissait à lui, Gouiouk, que les foudres du Ciel avaient plutôt accablé les chrétiens de Pologne, de Hongrie, de Bohême, d'Autriche, que ses cavaliers vainqueurs; que les questions de religions ne l'intéressaient aucunement et qu'il ne se souciait pas du tout de savoir s'il avait été baptisé, mais si le Souverain tenait à éclaircir ce point, qu'il vînt lui-même faire son enquête à Karakoroum; et qu'enfin, comme suzerain de tous les Princes du Monde, y compris le Pape, il espérait recevoir de lui, une prochaine fois, de plus nobles ambassadeurs et des présents moins misérables. On prétendit que certains chrétiens nestoriens avaient dicté cette réponse.

Gouiouk se livra à des prodigalités, à des folies sans nom. Il libéra les prisonniers, les esclaves, les couvrit d'or. Il fit ouvrir les entrepôts et les magasins et commanda à son peuple de les piller. Quand le trésor fut vide, il destitua les fonctionnaires consciencieux et les remplaça par des favoris sans scrupules qui établirent des impôts exorbitants. Le peuple murmura, gronda. Gouiouk mourut soudain, usé par les débauches. Il avait régné douze mois.

Mangou fut élu trois ans plus tard, à la suite d'un extraordinaire fourmillement d'intrigues. De nombreux princes-cousins furent exécutés, dont le fils de Gouiouk; et comme le Iassa défendait que l'on répandît le sang des membres de la famille impériale, on les étouffa dans des couvertures de soie.

Mangou fit tout de suite preuve de sage administrateur. Il abolit les impôts de Gouiouk, et par le jeu de contributions proportionnelles, fournies par les différentes provinces, put rétablir l'état des finances. Pour apaiser des rivalités qui pouvaient devenir menaçantes, il donna à son frère Houlagou la Perse et les petits pays voisins; à son frère Koubilaï le gouvernement de la Chine du Nord, et l'appui de ses troupes pour achever la conquête de la Chine des Soung; il renoua avec son cousin Batou, qui se plaignait d'avoir tout conquis et de n'avoir rien reçu, et qui boudait au fond du royaume qu'il s'était taillé dans les neiges du Nord, des liens relâchés depuis la foudroyante expédition d'Occident.

La famille et les ministres du Grand-Khan eussent voulu qu'il changeât sa capitale, trop éloignée, à leur avis, du centre de l'Empire. Mangou aimait Karakoroum. C'était là le berceau de la puissance mongole. Il disait qu'il n'existait point sur la terre de plus « forte et belle ville ». Pourtant un envoyé de saint Louis, Guillaume de Rubruquis, cordelier dans un couvent d'Acre, l'avait visitée en 1256. Il écrivait au saint Roi: « Votre Majesté saura que, excepté le palais du Khan, elle n'est pas si bonne que la ville de Saint-Denis en France, dont le monastère vaut dix fois mieux que tout le palais de Mangou. Il y a deux grandes rues, l'une dite « des Sarrasins » où se tiennent les marchés et la foire; et plusieurs marchands étrangers y vont trafiquer à cause de la Cour qui y est souvent, et du grand nombre d'ambassadeurs qui y arrivent de toutes parts. L'autre rue s'appelle « des Cathayens » où se tiennent tous les artisans. Outre ces deux rues, il y a d'autres lieux et palais, où demeurent les secrétaires du prince. Là sont douze temples d'idolâtres de diverses nations, et deux mosquées de Sarrasins, où ils font profession de la secte de Mahomet, puis une église de chrétiens (nestoriens) au bout de la ville. La ville est ceinte de murailles faites de terre et a quatre portes. A celle d'Orient on vend le mil et autres sortes de grains, mais il y en a peu. A la porte d'Occident se vendent les brebis et les chèvres; à celle du Midi, les bœufs et les chariots, et à celle du Nord, les chevaux... Il faut savoir que Mangou a à Karakoroum près des murailles de la ville un très grand enclos, ceint d'un mur de briques ainsi qu'un cloître de nos monastères. En ce lieu il y a un très grand palais où il festoie solennellement deux fois l'an, à savoir, l'une à Pâques, quand il passe par là, et l'autre en été, à son retour; et cette seconde est la plus grande fête, car tous les seigneurs et gentils hommes éloignés de bien de deux mois de chemin de la Cour s'y trouvent, et le Khan leur fait à tous des présents d'habits et autres choses, et fait ainsi montre de sa gloire et de sa magnificence. Près de ce palais il y a plusieurs logis spéciaux, comme des granges, où se gardent les vivres et provisions et les trésors... »

L'ambassade du cordelier avait eu peu de succès. Il avait été cependant mieux reçu que les moines de Gouiouk. Saint Louis, avec l'approbation papale, l'avait chargé de demander à Mangou l'autorisation de jeter les bases d'une mission catholique dans l'Empire, et il adressait au Grand-Khan, en même temps que « son salut fraternel, le cadeau judicieux d'un morceau de la Vraie Croix ». Après des années d'un voyage rempli des aventures les plus pénibles et les plus périlleuses, Rubruquis, les traits ravagés par les fatigues et la maladie, les pieds en sang, le corps couvert de pustules et d'ulcères, était enfin arrivé à Karakoroum. Quand il fut admis à l'audience impériale, il pénétra dans une immense pièce au centre de laquelle s'élevait un arbre d'argent entouré de quatre lions de même métal et surmonté d'un ange sonnant de la trompette. De la gueule des lions jaillissaient de l'alcool de riz, du koumiss, de l'hydromel et du vin de Perse. Lorsque l'une des sources menaçait de tarir, l'ange, par un mécanisme secret, sonnait de la trompette, et des serviteurs s'empressaient de venir y déverser des outres de la boisson correspondante. Cette fontaine avait été construite par un certain Guillaume Boucher, joaillier de Paris, que des avatars sans nombre avaient conduit à Karakoroum.

Rubruquis vit, dans le fond de la salle, à l'angle nord, sur un magnifique trône surélevé, le grand Mangou, qui lui faisait signe en souriant de s'approcher. A droite de l'Empereur, sur des sièges plus bas, se trouvaient les princes, les seigneurs, les dignitaires de la Cour; à sa gauche, assises sur des peaux de tigre et de léopard, ses femmes, ses concubines, les princesses royales et les suivantes. Les révérences d'usage faites, les compliments échangés, les présents offerts, l'Empereur engagea la conversation avec une bonne grâce telle que Rubruquis crut la partie gagnée. Mangou questionnait, riait, faisait des mots, jouait avec ses bagues, cependant que des esclaves ne cessaient de leur apporter des coupes d'alcool qu'il fallait, selon l'étiquette, vider d'un seul trait. Et le cordelier savait qu'il ne pouvait se dérober à la beuverie sans s'attirer des représailles mortelles. Il eut bientôt la langue trop pâteuse pour parler de façon intelligible, et il commençait de tituber quand Mangou s'écroula sur son siège. L'audience fut levée.

Rubruquis erra pendant des semaines dans les rues de la capitale sans réussir à obtenir une nouvelle entrevue. Les représentants des cultes établis, et surtout le chef des chrétiens nestoriens, multipliaient les intrigues à la Cour. Ils craignaient la concurrence de Rome, le zèle de ses prêtres, la propagation irrésistible, et pour eux désastreuse, de sa Foi. Enfin, au bout de deux mois, le cordelier fut sommé de quitter Karakoroum. L'autorisation demandée lui était refusée.

Mangou avait repris la poursuite des conquêtes abandonnées depuis la mort d'Ogotaï. Houlagou marchait sur Bagdad, enlevait la place forte du Vieux de la Montagne, l'infatigable Batou galopait avec son fils Barka jusqu'à l'extrémité de l'Europe du Nord, envahissait la Finlande, rejoignait les rivages désolés de l'Arctique, Koubilaï s'enfonçait lentement dans l'intérieur grouillant de la Chine du Midi, enlevait une à une les villes et les forteresses, occupait les provinces et leur imposait les dures lois mongoles.

Mangou s'ennuyait. Il aimait l'action, le combat, la mêlée, la chaude ivresse de la bataille. Il rejoignit brusquement Koubilaï et prit le commandement des troupes qu'il lui avait prêtées. Il fut tué d'un coup, à l'assaut d'un fort chinois, comme il montait, à la tête de ses hommes, le long d'une échelle dressée contre la muraille ennemie.

Koubilaï fut couronné.

CHAPITRE X

Au pays des Gog à Chang-tou, les Polo
voyagèrent encore six jours. Ils traversèrent d'abord une plaine
grasse et verdoyante, bordée de forêts giboyeuses, et parsemée de
lacs et de ruisseaux. Le troisième jour, ils s'arrêtèrent au bord
d'un grand lac, le Tchagan-nor, aux rives hérissées de bambous,
parmi lesquels s'étendait un immense pavillon de chasse construit par Koubilaï. Des cygnes de toutes variétés glissaient sur les
eaux. Les bois grouillaient de perdrix, de faisans. A l'horizon, de
légères collines bleues ondulaient. Ils les franchirent et descendirent de nouveau dans la plaine. Et le sixième jour, ils virent
les murailles de Chang-tou. Elles formaient un carré de seize
milles de circonférence et, de l'est à l'ouest, comprenaient sept
enceintes juxtaposées. Trois enceintes latérales fermaient le sud.
Au nord s'élevait le palais du Khan, qui dominait la ville entière.

Dès que les Polo eurent franchi les portes de la ville, des seigneurs vinrent à leur rencontre, leur apportant de nouveau les
saluts et les félicitations de Koubilaï. Une brillante escorte de cavaliers les conduisit au palais.

Ils pénétrèrent dans une vaste pièce de marbre lambrissée
d'or et couverte des peintures les plus diverses. Koubilaï les ac-

cueillit en les appelant ses fils. C'était un homme de taille moyenne, musclé, bien fait, au visage, « blanc et vermeil », où perçaient des yeux vifs, mobiles et noirs. Il avait le nez droit des hommes d'Occident. (Habet nasum bene factum et bene sedat in facie.) Il reçut avec de grandes démonstrations de joie le message et la bénédiction du Pape, et ses mains tremblaient d'impatience et de désir quand il ouvrit le précieux coffret contenant l'ampoule sacrée. Il connaissait la douloureuse histoire de Jérusalem, les grands faits miraculeux de l'Eglise du Christ, enviait secrètement peut-être une Foi dont les racines, plongeant aussi loin dans le temps, continuaient de fleurir avec tant de vigueur dans le cœur et dans l'esprit des hommes. Il exprima ses regrets que les savants théologiens de Rome n'eussent pu venir. Il était, disait-il, avide de tout savoir. Mais ce n'est, ajouta-t-il, que partie remise, et ils m'apporteront un jour leurs lumières.

Marco lui plut dès l'instant qu'il le vit. Et quand il constata que le jeune homme pouvait s'exprimer aisément dans la langue mongole, il ne se tint pas de joie, lui fit apporter sur-le-champ des cadeaux, parla d'adoption. Il ne cessait de cajoler ses vieux amis, les étreignaient, leur faisaient mille compliments, mille protestations d'amitié, disant qu'avec leur présence le soleil venait de pénétrer dans son cœur et que s'il les laissait jamais repartir tout retomberait dans la nuit.

Il fit préparer des fêtes somptueuses.

* * *

Chang-tou était un magnifique jardin où, parmi les fleurs et les plantes les plus rares, jaillissaient d'innombrables fontaines. Les oiseleurs du Grand-Khan y dressaient pour la chasse les plus beaux gerfauts et faucons. Des centaines de bêtes de toutes espèces, tigres, panthères, léopards, guépards, loups, cobras, pythons, tortues, caïmans, orangs, gorilles, provenant des coins les plus reculés de l'Empire, avaient été rassemblées dans des cages. Des ibis d'Egypte, des flamants roses, des aigrettes couleur de neige, des paons royaux peuplaient les volières. Des éléphants venus des Indes, capturés avec leurs cornacs, montraient des ivoires incrustés de rubis. Le haras impérial renfermait dix mille juments blanches, sans taches. Leur lait, que l'on prétendait doué de vertus magiques, était réservé à la maison du Khan, et lorsque celui-ci quittait Chang-tou, à la fin de son séjour annuel, on répandait sur le sol tout le lait des bêtes afin que les génies de l'air et de la terre pussent s'en délecter et favoriser ensuite les entreprises de l'Empereur.

Au milieu d'un bois, à l'ouest des enceintes, un pavillon royal se dressait, construit de bambous géants recouverts d'or, et soutenu par des piliers représentant des dragons, d'or également, crachant le feu. Ce pavillon avait jadis appartenu aux empereurs Soung, et Koubilaï l'avait fait transporter du Honan à Chang-tou.

Chang-tou comptait cent huit temples consacrés à divers cultes. Les bouddhistes et les taôistes composaient l'élément le plus important des fidèles. Les premiers jouissaient d'une grande influence auprès de Koubilaï, qui vivait entouré de sorciers, de devins, d'astrologues, les consultant sans cesse, les couvrant d'or. « Sachez que, pendant que le Seigneur séjourne en ce lieu trois mois de l'an tous les ans, il a avec lui ses savants enchanteurs et astrologues qui sont si versés dans l'art diabolique et la nécromancie qu'ils sont capables d'empêcher tout nuage, tout orage, de se former au-dessus de l'emplacement où s'élève le palais du Seigneur. Les adroits magiciens qui font cela sont appelés « Tebet » et « Quesimour », qui sont deux sortes différentes de gens, et idolâtres. Car tout ce qu'ils accomplissent c'est par l'intervention du diable, mais ils font croire aux autres gens que c'est grâce à leur sainteté et par l'œuvre de Dieu. Ils ont encore un autre usage que je vais vous dire. Quand un homme est condamné à mort et exécuté en vertu des lois, ils prennent son corps, le font cuire et le mangent; mais s'il mourait de mort naturelle, ils ne le mangeraient pas.

Il y a encore une autre merveille que peuvent accomplir ces deux manières de gens dont je vous ai parlé. Car quand le Grand-Khan habite en sa capitale dans son grand palais, qu'il est assis à sa table plus haute que le sol de huit coudées, il a devant lui, au milieu de la salle, ses coupes à une distance de lui d'au moins dix pas, pleines de vin ou d'autres bons breuvages aux épices, comme ils en usent. Ces magiciens que je vous ai dits sont si habiles dans leurs enchantements que, quand le Seigneur a envie de boire, les coupes se lèvent de l'endroit où elles se trouvent sans être touchées par personne et s'en vont devant le Seigneur. Et cela peut être vu de tous ceux qui sont présents, souvent plus de dix mille personnes. C'est la vérité sans nul mensonge et les savants de notre pays, qui savent l'art de la nécromancie, vous diront que cela peut bien se faire. »

Les lamas, experts dans l'art de l'illusion, abusaient de la crédulité du peuple. Ils se faisaient fort de pénétrer partout, comme l'air, sans tenir compte des obstacles matériels, de capturer à la main les bêtes féroces, de faire refluer les eaux d'une rivière vers l'amont, d'enfoncer une cheville de bois dans un roç granitique, de changer en or quelque matière vile, de faire parler les animaux, de pénétrer la pensée de chacun, de guérir les malades et de ressusciter les morts. Ils savaient distinguer à l'avance les jours fastes des jours néfastes, prédisaient les éclipses du soleil et de la lune. Ils avaient d'innombrables idoles pour lesquelles ils exigeaient les sacrifices les plus rares, les dons les plus précieux. Ils possédaient à Chang-tou deux bonzeries dont l'entretien coûtait à l'État des sommes énormes. Bon nombre de lamas étaient mariés, ou vivaient dans un concubinage excessif. Ils avaient leurs entrées libres au palais. Et ils étaient considérés comme infiniment supérieurs aux prêtres des autres religions.

Les taôistes ne profitaient pas des mêmes faveurs. Ils menaient une existence rigoureusement ascétique, se nourrissant de son et d'eau chaude et pratiquant la chasteté absolue. Ils n'amusaient ni le peuple ni la Cour. Les lamas leur faisaient une guerre acharnée, prétendaient que leurs livres sacrés contenaient des enseignements faux et pernicieux, les accusaient d'hérésie. La doctrine des taôistes se composait d'un amalgame confus de pure spiritualité et de grossières superstitions. Leur culte remontait aux premiers temps de la Chine primitive.

* * *

Koubilaï passait les mois de juin, de juillet et d'août dans son palais de Chang-tou. La famille impériale l'y accompagnait. Il possédait quatre femmes légitimes, qui avaient titre et rang d'impératrices. Chacune d'elles tenait dans son propre palais sa propre cour, composée de plusieurs centaines de dames et d'écuyers. Il entretenait en outre une foule de concubines, choisies pour la plupart dans la race tartare. « Je vous dirai encore qu'il y a une province habitée par des Tartares qui sont appelés Ungut (c'est aussi le nom de leur ville); ils sont très belles gens et d'un teint très blanc. Tous les deux ans selon sa convenance le Grand-Khan envoie vers la dite province ses ambassadeurs pour lui choisir les plus jolies d'entre les jeunes filles, selon le degré de beauté qu'il leur prescrit, au nombre de 400, 500, ou plus ou moins selon qu'il leur semble bon. L'estimation de ces demoiselles est faite comme suit. Sitôt arrivés, les ambassadeurs font venir à eux toutes les demoiselles de la province; alors les examinateurs nommés à cet effet inspectent chacune d'elles minutieusement en toutes ses parties, comme la chevelure, le visage, les yeux, la bouche, les lèvres, etc., et vérifiant que chaque point est bien en proportion et en harmonie avec l'ensemble de la personne; puis leur valeur sera exprimée en carats, pour les unes 16 carats, pour les autres 17, 18, 20, et plus ou moins, selon qu'elles sont plus ou moins belles. Si le Grand-Khan a commandé que soient acceptées celles qui auront obtenu la cote fixée d'avance de 20 carats, ou 21 carats, celles-là lui seront amenées.

Arrivées en sa présence, il les fait évaluer de nouveau par d'autres examinateurs; une nouvelle sélection est faite pour la chambre impériale des 30 ou 40 qui sont estimées à un plus haut chiffre de carats; chacune de celles-ci est confiée à une femme de baron, qui la prendra dans sa chambre, l'examinera attentivement la nuit, et devra s'assurer qu'elle n'a pas de tare cachée, que ses membres sont sans défauts, qu'elle a le sommeil tranquille et ne ronfle pas, que son haleine est agréable et qu'elle ne sent mauvais en aucune partie du corps.

Quand elles ont subi cet examen rigoureux, elles sont réparties par groupes de cinq, d'après leur nombre, et chaque groupe sera de service trois jours et trois nuits dans la chambre du Seigneur pour faire tout ce qu'il demandera. Quand ce temps est écoulé, elles sont remplacées par un autre groupe qui fait de même, et ainsi de suite jusqu'à ce qu'elles aient toutes pris leur tour, puis le roulement recommence une autre fois.

Et tandis qu'un groupe est occupé dans la chambre du Seigneur, un autre se tient dans une chambre voisine, de sorte que si le Seigneur a besoin de faire venir quelque chose du dehors, comme pour boire, pour manger, etc., les demoiselles qui sont dans la chambre n'ont qu'à commander aux secondes de la préparer, ce que celles-ci font immédiatement; ainsi le Seigneur n'est servi par aucune autre personne que par ces demoiselles d'honneur.

Les demoiselles qui ont été cotées à un nombre moindre de carats, demeurent dans le palais avec les autres du Seigneur; elles apprennent la couture, la coupe des gants et autres travaux nobles. Et si quelque gentilhomme cherche femme, le Grand-Khan lui accorde une de celles-ci avec une très belle dot, et de cette façon les marie toutes parmi ses nobles.

On peut se demander si les hommes de la dite province ne s'offensent point de ce que le Grand-Khan leur enlève ainsi leurs filles. Non certainement: ils y voient au contraire grand honneur et faveur, et se montrent très flattés quand, ayant de jolies filles, ils voient que le Khan daigne les accepter. « Si, disent-ils, ma fille est née sous une bonne étoile et destinée à un sort brillant, le Seigneur peut bien mieux assurer son avenir et la marier plus noblement que je ne saurais faire. Si, au contraire, la jeune fille ne se porte pas bien, ou si elle n'a pas de chance, le père dit que tout cela lui est advenu parce qu'elle n'avait pas une bonne étoile.

Koubilaï avait, de ses quatre femmes légitimes, vingt-deux enfants mâles. L'aîné, qui lui venait de l'impératrice Djamoui, favorite et première épouse, avait été nommé Genghis en souvenir du Mongol. Les fils, dès qu'ils étaient d'âge, occupaient de hauts postes dans l'administration et dans l'armée; ceux qui se distinguaient par quelque action d'éclat, ou dont l'intelligence se montrait particulièrement vive, étaient nommés rois de provinces nouvellement conquises. Genghis devait succéder à Koubilaï.

Les bâtards nés des demoiselles de la province d'Ungut pullulaient. Les mâles étaient faits barons à leur naissance. Ils recevaient la même éducation que leurs frères légitimes, et partageaient ensuite des fonctions diverses à la Cour.

Koubilaï regagnait sa capitale, Khanbalik, dans les derniers jours du mois d'août. Il y passait six mois, puis allait chasser dans le Sud, du côté de la mer, jusqu'au début de l'été.

* * *

Encore étourdis par les fastes de Chang-tou, les Polo accompagnèrent Koubilaï sur la route de Khanbalik (Pékin). C'était un trajet de dix journées. La Cour entière faisait cortège à l'Empereur. Celui-ci, qui souffrait de la goutte, ne pouvait voyager à cheval. Il reposait sur une litière recouverte de brocart d'or, dans un petit pavillon fait de bois précieux, laqué de vert et de rouge, tapissé de somptueuses soieries, et supporté par quatre éléphants merveilleusement dressés, marchant de front. De lourdes couvertures de peaux de tigres battaient au flanc des bêtes et descendaient jusqu'au sol. Une garde composée de trois mille cavaliers précédait le Grand-Khan, ayant pour mission d'écarter toute personne, tout voyageur qui eût pu se trouver sur le passage impérial. Les officiers supérieurs, les ambassadeurs, les trois Polo, les barons, les princes caracolaient autour des montures de Koubilaï. Les impératrices et leur suite, les concubines, les filles d'honneur suivaient en palanquin. Trois mille autres cavaliers fermaient le cortège.

Le soir, Koubilaï recevait ses familiers à sa table. La tente qui l'abritait était faite d'une soie imperméable aux vents et à la pluie, doublée de zibeline et d'hermine, recouverte à l'extérieur de peaux de tigres et de léopards. Des jongleurs, des danseurs, des chanteuses venaient égayer les convives. Quand chacun s'était retiré, selon les règles d'un cérémonial très strict, Koubilaï consultait ses astrologues, qui fixaient l'heure du départ pour le lendemain. De grands feux couronnaient le camp d'une ceinture de pourpre, et l'on entendait très tard, dans la nuit, la plainte nostalgique des chants des cavaliers mongols.

On approcha bientôt de Khanbalik. La curiosité brûlait Marco. Il vivait depuis des mois et des mois au centre d'un rêve dont le fantastique paraissait ne devoir jamais s'épuiser.

CHAPITRE XI

Dès son ascension au trône, Koubilaï, rompant avec la tradition mongole, avait quitté Karakoroum et fait de Khanbalik, ancienne capitale des empereurs Kin, la capitale de son gigantesque empire. Il y avait établi un gouvernement central, composé de vingt-quatre barons, et divisé en deux conseils supérieurs. Le premier Conseil se nommait le Thaï. Les douze barons qui le formaient étaient choisis parmi les plus illustres maréchaux de Koubilaï. Ils décidaient de l'envoi des troupes, de leur nombre, de leurs déplacements, des promotions ou mutations des officiers, de la justification et de la limitation des dépenses, du calcul des fournitures, des expéditions punitives, de tout ce qui avait trait enfin à la stratégie et à la tactique. Le second Conseil, le Singh, s'occupait de l'administration des trente-quatre provinces ou royaumes. Ses membres nommaient les gouverneurs, les magistrats. Ils surveillaient la répartition, l'affectation et le recouvrement des impôts, dirigeaient les ministères concernant les cultes, la justice, la police, les travaux publics. Ils habitaient un palais où des envoyés de chacun des royaumes leur soumettaient les besoins de la population qu'ils représentaient. Les deux Conseils étaient indépendants l'un de l'autre, et leurs membres jouissaient des mêmes privilèges; cependant, dans l'ordre protocolaire, les barons du Singh cédaient le pas aux Maréchaux. Les décisions prises étaient irrévocables. Nulle mesure importante, et qui tînt d'intérêt général, ne pouvait être adoptée sans l'approbation de l'Empereur. Koubilaï était le maître absolu.

L'armée formait une caste nettement à part, qui n'était soumise à aucun contrôle extérieur, et à laquelle l'administration civile ne touchait point. Elle était pourvue d'un système de finances lui permettant — et l'obligeant — de se suffire à elle-même. Les troupes possédaient leur propre bétail, s'en nourrissaient, et leurs approvisionnements faits, vendaient ce qu'elles avaient de reste sur les marchés des villes; elles cultivaient le blé, l'avoine, le soya; elles se partageaient une partie des rapines et des prises de guerre; le produit de la vente des objets précieux saisis à l'ennemi alimentait la caisse de l'intendance. Pour empêcher des contacts dangereux avec les populations chinoises, on cantonnait les soldats loin des grands centres. Et pour qu'ils ne prissent point le goût de la vie sédentaire, on ne les laissait jamais plus de deux ans dans la même province. Les officiers étaient soumis aux mêmes mutations.

Des communications terrestres et fluviales reliaient Khanbalik aux régions les plus reculées de Chine. Déjà, vers l'an 600, sous la dynastie des Soeï, l'empereur Yuan avait fait creuser un canal, bordé d'un chemin de halage, d'une longueur de deux mille kilomètres. Cinq cent mille hommes étaient morts à la peine. Une flottille de bateaux-dragons et de jonques avait été construite. Le bateau de Yuan mesurait deux cents pieds, montrait quatre étages. Il habitait avec ses favoris le premier pont, l'équipage occupait le dernier, le harem se partageait les deux autres. L'impératrice avait un bateau identique. Quarante palais avaient été élevés le long du parcours pour servir à la Cour de lieux de repos. Koubilaï fit déblayer, réparer, agrandir le canal impérial, et l'on put, de Khanbalik, naviguer jusqu'au Fleuve bleu.

Un magnifique réseau de voies routières fut organisé. De larges routes coururent d'une province à l'autre, munies de postes de relais ouverts jour et nuit, où se trouvaient en permanence des équipes d'hommes et de chevaux. Les routes principales étaient bordées de grands arbres pour que les voyageurs ne pussent s'égarer. Les messagers de l'Empereur jouissaient d'une faveur spéciale, ne payaient ni taxes, ni impôts. « Jamais aucun empereur, ni aucun roi, ni aucun seigneur, n'eut pareille richesse. Car sachez en vérité que plus de trois cent mille chevaux restent en ces stations de poste exprès pour les messagers du Grand Sire et aussi que les palais qui sont plus de dix mille, sont tous si bien fournis de riches harnois, comme je vous ai conté. Et c'est chose si merveilleuse et de si grande valeur, qu'à peine se pourrait-elle écrire.

Le Seigneur ne prend à ces hommes nul tribut, mais leur fait donner du sien. De plus, je vous dirai encore qu'il y a, dans ces châteaux dont j'ai parlé, des hommes également équipés de grandes ceintures garnies de clochettes, lesquels, quand il y a grand besoin de porter en hâte au Seigneur des nouvelles de quelque province, ou de quelque autre affaire urgente, parcourent bien le jour, de deux cent cinquante à trois cents milles. Et de même la nuit; je vais vous dire comment. Ils prennent des chevaux de la poste où ils sont, qui sont choisis bons, frais et rapides; ils les montent et vont au grand galop, tirant du cheval tout ce qu'ils peuvent. Et ceux de l'autre poste, qui les sentent venir à leurs clochettes, ont aussi fait tenir prêts chevaux et hommes équipés comme les premiers qui, dès que ceux-ci les joignent, prennent ce qu'ils ont, ou lettre ou autre chose, partent au grand galop jusqu'à l'autre poste, où on leur aura également préparé hommes et chevaux tout frais pour change; et ainsi vont-ils tout le temps porter les dépêches d'une poste à l'autre courant et changeant chevaux et hommes. Et ils vont si vite que c'est merveille.

Ces hommes sont très considérés. Ils ont la tête, la poitrine et le ventre enveloppés de bandelettes, car autrement ils ne pourraient endurer la course. Ils portent toujours avec eux une tablette au gerfaut comme signe qu'ils doivent aller avec la plus grande célérité et afin que, s'il advenait parfois qu'en courant sur le chemin le cheval tombât fourbu ou eût quelque autre accident, et que le courrier trouvât sur sa route qui que ce fût, il pût le faire descendre de cheval et prendre sa bête. Et personne ne la leur oserait refuser; si bien qu'ils ont toujours de bonnes bêtes et fraîches à leur disposition.

Ces chevaux dont je vous ai parlé, et qui sont si nombreux par les postes, sachez que le Seigneur n'a rien à dépenser pour eux. Et je vous dirai comment et la raison pourquoi. Il fait dresser un état des gens qui habitent près de la poste et dans la cité qui l'avoisine, il fait prendre information afin de connaître combien de chevaux ils peuvent donner; et ces chevaux sont donnés à la poste. Et en cette manière sont fournies toutes les postes par les cités, châteaux et campagnes qui les avoisinent. Sauf que, quand les postes sont en contrée déserte et reculée, le Seigneur les fait fournir de ses chevaux. »

Les barons du Singh dressèrent un plan économique très précis. L'élevage, la culture du sol, l'industrie de la soie livraient un dixième de leur production à l'Etat. (Les provinces du Sud fournissaient seules, chaque année, à l'Empereur, trois cent soixante jonques chargées de soie.) Outre cette imposition en nature, une taxe de trois pour cent était prélevée sur le sucre, les épices et les vins. Les matières importées versaient un dixième de leur valeur. Tout artisan, paysan, ouvrier devait fournir à l'Empire, chaque semaine, une journée de travail gratuit. Le sel et les métaux précieux appartenaient à l'Etat. Les royaumes vassaux étaient forcés d'acquitter des tributs considérables.

La Chine connaissait l'emploi du papier-monnaie depuis plusieurs siècles, mais cet usage avait été abandonné. Koubilaï le reprit pour son compte. On se servit de la mince couche de substance qui se trouve entre l'écorce et le bois du mûrier. Après avoir été macéré, pilonné dans un mortier, cet aubier produisait une pulpe que l'on transformait en un papier de couleur sombre, et que l'on découpait en morceaux de différentes grandeurs, selon la valeur que l'on désirait leur attribuer. La signature de certains personnages, et l'application du sceau impérial, enduit de cinabre, rendaient ces billets authentiques. Ceux qui refusaient de les accepter en échange de marchandises ou paiements étaient punis de mort. Les faussaires succombaient dans les plus effroyables tortures. Au bout de quelques années, on annonçait le retrait de l'émission, et leurs détenteurs, pour un billet nouveau de même valeur nominale, devaient fournir à la trésorerie quatre ou cinq des billets anciens.

Koubilaï drainait ainsi, peu à peu, tout l'or de l'Empire.

Koubilaï se montrait cependant d'une grande générosité vis-à-vis des nécessiteux. Il envoyait chaque année des messagers spéciaux qui parcouraient les provinces et enquêtaient sur les besoins des populations. Ceux qui avaient souffert de dommages à leurs cultures ou à leurs troupeaux par suite de guerres, d'inondations, de sécheresse, d'épidémies, se voyaient exempts d'impôts. Il leur fournissait en outre du blé tiré de ses magasins, des bêtes prises dans son propre cheptel.

Des officiers étaient chargés de surveiller le prix des denrées, et il était défendu sous peine de mort de profiter des périodes de disette pour en hausser le taux ordinaire. Il faisait porter des secours aux infirmes, aux orphelins. Les fonctionnaires que l'âge ou la maladie avaient rendus inaptes au service recevaient des pensions annuelles. Il avait fait établir des usines de tissage, et avec le produit de la dîme perçue sur la production du chanvre et du lin, les familles pauvres étaient vêtues. Il entretenait des tribus entières dont les chefs s'étaient illustrés dans ses campagnes. A Khanbalik, devant le mur de son palais, on distribuait chaque jour plus de trente mille pains chauds.

* * *

L'ancienne capitale des empereurs Kin était une ville immense aux rues multiples et tortueuses, que ses impasses, culs-de-sac, souterrains, dédales obscurs, couloirs secrets avaient transformée en un labyrinthe inextricable. A la nouvelle de l'arrivée du Grand-Khan, des agitateurs avaient tenté de soulever la population. Koubilaï, prévenu par ses astrologues, avait pu, non sans peine, étouffer la révolte naissante. Cependant, grâce à l'extraordinaire complexité de la ville, de nombreux rebelles s'étaient échappés. Koubilaï fit alors construire, à côté de la vieille capitale, une nouvelle ville dans laquelle la population fut transportée.

Khanbalik fut ceinte d'une muraille crénelée de blanc, haute et large de dix pieds, d'une longueur de vingt-quatre milles, et flanquée de douze portes surmontées de douze tours servant de postes de garde et d'arsenaux, contenant chacune une garnison de mille hommes. De larges voies rectilignes furent tracées, cou-

103

rant du nord au sud, de l'est à l'ouest. Chaque famille reçut
un lot carré de terrain dont les bords furent tirés en ligne droite.
Khanbalik ressembla bientôt à un vaste échiquier. Des boutiques,
des échoppes, des salles de spectacle, des bazars, des hôtelleries,
des baraques de toutes sortes bordaient les rues principales. Au
centre de la ville s'élevait une tour munie d'une cloche énorme
qui sonnait le couvre-feu. Des patrouilles circulaient sans cesse
dans les rues, et toute personne rencontrée après l'heure fixée par
les lois, si elle ne fournissait point de raisons suffisantes, était jetée
en prison. On défendait d'enterrer les morts dans les limites de
la ville. Les familles riches conservaient leurs défunts durant des
mois, parfois des années, dans des cercueils dont les jointures
avaient été soigneusement scellées de poix et de bitume, avant de
les reconduire au lieu choisi pour l'inhumation.

D'immenses faubourgs, remuants comme des fourmilières, en-
cerclaient Khanbalik. Plusieurs barons y avaient élevé leur palais. De nombreuses hôtelleries accueillaient les marchands venus de tous les coins du monde; des auberges spéciales étaient
affectées aux gens de même nationalité. Les filles publiques, à qui
l'on interdisait l'accès de Khanbalik, faisaient l'objet d'une rigou-
reuse surveillance de la part des autorités. « Encore apprenez que
nulle femme pécheresse de son corps ne demeure dans la ville;
toutes celles de cette manière demeurent dehors par les faubourgs.
Et je vous dis qu'elles sont tellement nombreuses en raison des
étrangers qui sont là en grande affluence que c'est merveille.
Car tenez pour certain qu'elles sont plus de vingt mille qui font
monnaie de leur corps. Et comme elles trouvent toutes à gagner,
vous pouvez juger par là s'il y a grande abondance de population.

Elles sont soumises à un officier général, et sont groupées par
centaine, par millier, sous la surveillance d'officiers divisionnai-
res, tous responsables vis-à-vis du premier. Le motif pour lequel
un officier général leur est donné est celui-ci: toutes les fois
que les ambassadeurs viennent vers le Grand-Khan, pour des choses et affaires qui regardent ce Seigneur, ils sont entretenus à ses
frais; et pour qu'ils soient traités de la façon la plus honorable,
l'officier général est obligé de fournir toutes les nuits aux dits
ambassadeurs et à chaque homme de leur suite une fille publique, laquelle doit être changée toutes les nuits et ne recevra

aucune rémunération, car ce n'est là qu'un tribut qu'elle paye au Grand-Khan. »

Au-delà des faubourgs, à l'horizon, serpentait une chaîne de collines bleues, où les familles nobles élevaient leurs mausolées. Des allées fleuries conduisaient aux sépulcres, bordées de statues, toutes de marbre, représentant des pages, des eunuques, des mandarins, des chameaux, des tigres, des tortues, des dragons, des chevaux sellés. De grands autels blancs se dressaient devant le tertre sous lequel reposait le défunt. Ils étaient chargés d'offrandes de toutes sortes, et les parfums les plus rares y brûlaient jour et nuit.

* * *

Le palais de Koubilaï s'élevait au centre même de Khanbalik. Une triple muraille le protégeait. La première enceinte possédait douze portes, dont quatre donnaient sur chacun des points cardinaux. Les portes du milieu ne s'ouvraient que pour le passage de l'Empereur. Entre cette muraille et la seconde se trouvait un espace large d'un mille où stationnaient les troupes de garde. De vastes pavillons collés à l'angle des murs contenaient les équipements de guerre de Koubilaï. La deuxième enceinte franchie, on trouvait un grand parc herbeux, planté de beaux arbres, où vivaient en liberté chevreuils, cerfs, daims, biches et autres bêtes pareilles. Une rivière le traversait, fermée à ses extrémités par des treillis de fer, qui composait une série de viviers alimentant la table impériale.

Enfin la troisième muraille renfermait le palais de Koubilaï. Il reposait sur une immense plate-forme dépassant de trois mètres la surface du sol, ceinte elle-même d'un mur de marbre d'une égale hauteur, qui formait terrasse, et le long de quoi courait une splendide balustrade à colonnes. Il couvrait une superficie d'un kilomètre carré. De larges escaliers de marbre, faisant face aux portes de la triple muraille, donnaient accès à l'intérieur. Ses toitures étaient hautes et pointues, couvertes de tuiles laquées vert, rouge, bleu, jaune, qui étincelaient au soleil comme le cristal.

La richesse du palais était incomparable. Les salles montraient des murs et des plafonds garnis de travaux sculptés dans l'or et dans l'argent. Des tapis de Perse, d'Arabie, de Ceylan, des peaux de tigres, de léopards couvraient le sol. La salle du trône était si vaste qu'elle pouvait contenir six mille personnes. On y voyait vingt-quatre colonnes d'or fin. Les murs étaient tapissés de cuir d'un pourpre violet. Une clepsydre d'or, frangée de perles, présentait à certains moments, par le moyen d'un mécanisme secret, un petit personnage portant une tablette de jade dont les caractères, composés de rubis, indiquaient les heures. Un vase énorme, haut de dix-sept pieds, autour des larges flancs duquel se tordait en spirale, parmi des nuages d'or, un dragon menaçant, contenait plus de cinquante piculs de vin. Des paons ciselés dans un métal précieux battaient des ailes au début et à la fin des audiences. Le trône, d'or massif, dominait toute la salle.

Cependant Koubilaï avait fait élever dans la direction du nord, à quelque distance du palais, une colline verte surmontée d'un pavillon laqué de vert, parmi des arbres dont le feuillage demeurait éternellement vert. Et le sol était semé d'une herbe luisante et grasse, prise aux pâturages des grandes steppes originaires.

CHAPITRE XII

La dynastie des Soung régnait sur la Chine du Sud depuis trois cents ans. Son fondateur, un général d'origine obscure, s'était emparé du trône par un coup de force dont la réussite l'avait étonné lui-même. Régnant sous le nom de Taïtsou, il invita un jour ses principaux officiers à un banquet où de nombreux vins furent servis. Il leur déclara soudain à l'issue du repas:

— Mes nuits sont peuplées de cauchemars. Je ne puis dormir en paix !

— Pourquoi cela ? demandèrent les officiers.

— Parce que chacun d'entre vous désire secrètement me ravir mon trône !

Ils se regardèrent les uns les autres, stupéfaits; certains ne purent s'empêcher de trembler. Le plus audacieux rompit le silence:

— Seigneur, comment de telles pensées peuvent-elles venir agiter ton esprit ? N'avons-nous point donné les preuves de notre fidélité ? N'avons-nous point combattu à tes côtés dans les campagnes les plus téméraires, et les plus dangereuses ? Avons-nous trahi notre serment ? Tu parles ainsi pour nous éprouver, Seigneur, mais tu nous peines... D'ailleurs, le Ciel ne t'a-t-il pas choisi ?

Taïtsou leur répondit:

— Je connais votre attachement, que je sais sincère. Mais je connais aussi l'ambition des hommes, qui détruit tout, et surtout l'attachement. N'ai-je pas moi-même renversé le maître que je servais ? Et pourtant je l'aimais... Et si le Ciel m'a choisi, le Ciel ne l'avait-il pas choisi auparavant, et le Ciel ne peut-il point encore choisir l'un de vous ? Ce que j'ai fait, ne seriez-vous point tentés de le faire à votre tour ?

— Nous ne possédons ni ta force, ni ton génie. Mais dis-nous, Seigneur, dis-nous ce que tu désires que nous fassions. Quelles que soient tes volontés, nous jurons de nous y soumettre avec joie. La mort même, si elle t'agrée, nous sera douce.

Taïtsou reprit:

— La vie est courte. Et le bonheur est rare. Laissez vos commandements, parcourez le royaume, choisissez telle propriété qui vous plaira, et je vous la donnerai. Alors cherchez le bonheur dans les plaisirs que vous chérissez particulièrement, cultivez-le jusqu'à ce que la vieillesse vous emporte. Vos enfants recueilleront les biens que vous aurez laissés et béniront votre mémoire.

Le lendemain, les officiers remirent leur démission. L'Empereur licencia toutes ses armées, et put désormais dormir en paix. Il mourut quinze ans plus tard. Sa dynastie était assurée, mais la faiblesse du Royaume était si grande qu'elle provoqua toutes les convoitises extérieures, et les descendants de Taïtsou connurent une succession de revers unique dans l'histoire de la Chine du Sud. Ils furent battus par les Tongouzes, par les Ki-tann, par les Kin. Seule la négligence des vainqueurs à poursuivre jusqu'au bout leurs avantages put sauver les Soung d'un écrasement complet. Les Empereurs avaient hérité de Taïtsou la crainte maladive des rivaux, et sa profonde répugnance vis-à-vis de toute organisation militaire; ils ne levaient des armées que pour des défenses immédiates, et ils renvoyaient les soldats dans leurs foyers dès que la soif des envahisseurs paraissait assouvie. Des partis religieux se formèrent dans le Royaume, qu'ils embrassèrent et persécutèrent, tour à tour avec la plus grande force. Un empereur ne favorisa que les Lettrés; un autre interdit toute publication littéraire et fit fermer les écoles, prétendant que la poésie et la philosophie portent au crétinisme; un troisième voulut devenir Bouddha; un quatrième consacra sa vie à la recherche de la pierre philosophale; un cinquième communiquait avec les démons et mettait à mort les ministres qui osaient soupçonner la sagesse des mesures prises à la suite de ces entretiens occultes. Cependant, malgré cette perpétuelle anarchie des Empereurs, et malgré leurs défaites successives, la dynastie des Soung durait depuis trois cents ans. Il appartenait à la ténacité des Mongols de l'abattre.

Ogotaï avait commencé la conquête; Mangou, avec Koubilaï, la poursuivit. La mort de Mangou interrompit la campagne, mais Koubilaï la reprit dès qu'il eut achevé d'organiser sa nouvelle capitale. Ses armées, commandées par le général Pe-Ien, remportèrent des succès qui ne laissèrent aux Soung qu'un tiers environ du Royaume originel. Les vaincus s'étaient repliés peu à peu dans leurs places fortes du Sud. L'une d'elles, la ville de Siang-yang, résistait depuis trois ans aux attaques multipliées d'un officier nommé A-chou. Elle occupait une position privilégiée, entourée d'un réseau de lacs profonds et larges, et ne donnait prise à l'agresseur que du côté nord, où s'élevait le puissant fort de Fantcheng. Douze villes riches dépendaient directement de sa résistance. Elle était la clef qui ouvrait la porte sur la mer.

Koubilaï apprit à Khanbalik qu'un nouvel assaut de la forteresse venait d'échouer. Il s'indigna, cria, parla de livrer A-chou aux tortures. Les Polo se présentèrent à lui. Ils avaient dressé les plans d'un mangonneau, sorte d'énorme catapulte dont se servaient les armées de Gênes et de Venise, avec quoi ils se faisaient fort de projeter à une grande distance des poids considérables. Les Mongols ignoraient l'existence de ces engins. Koubilaï ordonna que les meilleurs forgerons et charpentiers de la ville fussent mis à la disposition des Vénitiens. Trois mangonneaux furent construits en peu de jours. On en fit l'essai devant l'Empereur, qui fut émerveillé. Les catapultes lançaient à la fois soixante pierres pesant chacune trois cents livres.

Koubilaï demanda aux Polo de se rendre eux-mêmes sur les lieux du siège afin de surveiller la mise en place et le fonctionnement des nouvelles machines de guerre. On fréta des barques spéciales, on fournit une suite imposante aux Polo, et le départ fut effectué en grande pompe, devant toute la Cour assemblée.

A-chou les reçut avec angoisse. Il redoutait la fureur de Koubilaï, croyait que ces étrangers venaient le relever de son commandement, lui porter la mort. Ce que ses cavaliers, ses archers, ses lanceurs de feu, depuis trois ans, n'avaient pu exécuter, comment pouvait-on, au moyen de quelques pièces de fer et de bois, en espérer l'accomplissement ? La grosseur même des pierres que l'on amassait lui parut puérile et vaine; des poids semblables ont-ils jamais volé dans l'espace ? Il se retira sous sa tente, se crut perdu.

On commença le bombardement de Fan-tcheng à l'aube. Les assiégés épouvantés, voyant tomber du ciel, dans un fracas indescriptible, ces lourdes masses de granit, imaginèrent la vengeance des dieux et capitulèrent aux premières étoiles. Le lendemain, les machines furent braquées sur Siang-yang. Un tir heureux démolit, d'un seul coup, la tour du guet. Des officiers, des soldats furent saisis d'un tel effroi qu'ils se précipitèrent du haut des remparts sur les rochers qui bordaient le lac. Une terrible panique s'empara de la population. Les enfants, les femmes se ruaient dans les eaux, fuyant cette pluie mortelle jaillissant d'un ciel serein et bleu. Le gouverneur dut livrer la ville.

* * *

Koubilaï accueillit les Vénitiens comme des héros. Il les pressa sur son cœur, célébra leur audace, leur génie. Il fit apporter des bijoux, des ivoires, des jades, des robes brodées d'or, des armes venues de Perse et trempées dans le plus pur métal. Il cajola Marco, parla de missions qu'il allait lui confier. Mais plus tard, après les fêtes de la nouvelle année, après la période de chasse.

Sous l'ancien calendrier, l'année chinoise était lunaire. Mais le soleil en réglait le début, qui correspondait au premier jour de la nouvelle lune précédant l'entrée du soleil dans le signe du Poisson. Cette date était mobile, et tombait entre le 21 janvier et le 19 février. La fête de l'an, chez Koubilaï, se déroulait selon un cérémonial emprunté aux empereurs Kin. Certaines coutumes tenaient cependant des seules traditions mongoles. On appelait le premier mois de l'année le « mois blanc », et le premier jour de l'année la « fête blanche ». Tous devaient être alors vêtus de blanc, depuis l'Empereur, qui portait une robe brodée de perles et de diamants, jusqu'au plus humble esclave.

Dès le matin de ce jour, Koubilaï recevait l'hommage de ses sujets et vassaux. Il siégeait sur son trône, face au Midi. La première impératrice était assise à sa gauche, un degré plus bas. Ses fils, ses parents se tenaient sur des fauteuils disposés de telle façon que leur tête n'arrivait qu'aux pieds du Grand-Khan. Leurs femmes étaient placées plus bas encore. Les rois, princes, ducs, barons, officiers s'échelonnaient selon le degré qui convenait à leur rang. Ceux qui n'avaient point trouvé place dans l'immense salle se pressaient dans des galeries extérieures. Quand le tumulte de l'arrivée s'était apaisé, un grand dignitaire se levait et disait à haute voix: « Prosternez-vous et adorez ! » Tous s'inclinaient devant l'Empereur, touchant le sol de leur front. Le dignitaire disait encore: « Que Dieu bénisse et conserve notre Seigneur, qu'il lui accorde félicité et contentement ! Tous répondaient: « Que Dieu fasse ainsi. » Le dignitaire reprenait: « Que Dieu augmente la grandeur et la prospérité de son règne, qu'il conserve tous les peuples qui lui sont soumis dans la paix, la tranquillité et la bonne volonté, que tous ses domaines connaissent seulement prospérité et abondance. » Tous répétaient encore: « Que Dieu fasse ainsi ! » Et après s'être prosterné de nouveau, chacun, à tour de rôle, défilait devant un autel surmonté d'une tablette où était inscrit le nom du Grand-Khan, sous laquelle il balançait un encensoir d'or.

Cette première cérémonie accomplie, le défilé des présents commençait. Il était interminable, et d'une richesse extraordinaire. « Sachez que ce jour-là, il vient en présent au Seigneur de plusieurs parties de l'Empire qui sont désignées, plus de cent mille chevaux blancs et très riches. Ce jour-là, tous ses éléphants, qui sont bien cinq mille, sont tous recouverts de draps frangés très beaux et très riches tout pleins de la vaisselle d'or et d'argent du Seigneur et d'autres riches harnois dont la Cour a besoin pour la blanche fête. Il y vient également grandissime quantité de chameaux recouverts aussi de très riches draps, et qui sont chargés de choses dont il est besoin pour cette fête. Tout cela défile devant le Grand Sire, et c'est la plus belle chose à voir qui soit au monde. »

Au vrai, ces présents n'étaient que des impôts mal déguisés. La Tartarie, le Turkestan, les provinces du Nord-Ouest fournissaient les chevaux et les chameaux; l'Inde, la Birmanie, l'Indo-Chine livraient les éléphants, les pierres précieuses; de la Perse venaient l'or, les armes, les perles; la Chine offrait le jade et la soie.

Un festin géant clôturait la journée. Koubilaï était servi par les plus hauts barons de l'Empire, qui avaient le nez et la bouche recouverts d'un voile de soie afin que leur haleine ne pût effleurer les aliments. Quand il levait sa coupe pour boire, des clochettes d'or sonnaient, et chacun devait s'agenouiller. Quatre écrivains, étendus à ses pieds, notaient sur des tablettes chaque parole qu'il prononçait. Derrière lui, debout, le torse nu, et d'une taille gigantesque, deux gardes du corps veillaient, portant des haches de jade au lourd manche ciselé.

Des milliers de flambeaux brûlaient, soulevés par des esclaves immobiles. L'alcool, les vins coulaient à flots. Les convives se portaient des défis, buvaient jusqu'à ce que l'adversaire vaincu roulât sous les tables. Certains jouaient leurs chevaux, leurs armes, leurs bijoux, leurs palais, leurs terres, leurs femmes. Des jongleurs, des danseurs, venaient distraire les invités. Une musique composée de gongs, de cloches de bronze, de cithares, de cymbales, de hautbois se faisait inlassablement entendre, où dominaient les notes suraiguës des étroites violes à corde unique. De longs jets lumineux montaient des jardins, qui s'épanouissaient dans la nuit du ciel en mille globes de feu. L'aube seule consommait la fête blanche.

* * *

La chasse était le plaisir favori de Koubilaï. Il s'y livrait avec passion pendant trois mois de l'année, et quelle que fût l'importance des événements qui eussent pu l'y retenir, il quittait sa capitale le premier jour de mars et descendait vers le Sud, vers la mer. Son équipage formait une véritable armée comportant une avant-garde, une arrière-garde, des ailes gauche et droite, et un corps principal de bataille. Deux barons la commandaient, qui disposaient chacun de dix mille hommes avec autant de chiens. En outre, un service de fauconnerie dirigé par des princes du sang comptait dix mille oiseleurs chargés de l'entretien des aigles, faucons, vautours, gerfauts dressés pour la chasse au vol. Des cages renfermaient des tigres et des léopards, obéissant au fouet des belluaires, que l'on employait à certains moments pour forcer les pièces d'importance. On voyait des cavaliers porter en croupe des guépards domestiques.

Koubilaï avait établi son camp dans un endroit nommé « Cacciar Modun ». La Cour entière y était assemblée. On y trouvait des milliers de tentes. Il était interdit à la population régionale, sous peine de mort, et dans un rayon de vingt journées de marche, de toucher à aucune bête qui pût s'y rencontrer. Le pays était baigné de rivières et de lacs. L'Empereur avec sa suite « oiselait » tout le jour.

Les jours de grandes battues, les deux barons partaient à la tête de leurs hommes, le premier se dirigeant vers la droite, le second vers la gauche, mais de telle façon que l'arrière-garde formât un lien continu entre les premières extrémités des deux équipes, qui portaient chacune des livrées de couleurs différentes, l'une rouge, l'autre bleue. Elles embrassaient le plus grand espace possible de terrain, puis se repliaient peu à peu l'une vers l'autre, dessinant ainsi une ligne circulaire, fermée par l'avant-garde, qui se rétrécissait de plus en plus et enfermait le gibier comme dans un vaste filet. Koubilaï, porté par ses éléphants, et entouré de ses seigneurs, se tenait au centre de cette enceinte. Les bêtes refoulées étaient harcelées par les piques et les flèches des chasseurs; les aigles et les faucons plongeaient sur le gibier; les guépards bondissaient sur les cerfs, les chevreuils; on délivrait les tigres qui se ruaient sur les ours, les sangliers. Ce qui échappait aux invités du Grand-Khan tombait sous les coups des rabatteurs.

CHAPITRE XIII

LE JEUNE Vénitien remplit quelques courtes missions qui plurent à Koubilaï. Le Khan recevait lui-même les enquêteurs chargés de parcourir son Empire. Ils lui remettaient les rapports qu'ils avaient dressés sur les conditions sociales, économiques, administratives et militaires des Royaumes. Mais leurs comptes rendus, généralement fidèles, montraient la sécheresse obligatoire des nomenclatures et des statistiques. Marco Polo, que les coutumes et les mœurs de ces pays intéressaient au plus haut point, et plus peut-être que les chiffres, avait su donner à ses relations un tour vivant, coloré, qui séduisit l'imagination de l'Empereur. Celui-ci lui confia une importante mission pour Mangala, son troisième fils, roi du Ngan-si, pays de Cathay. Marco prit la direction de l'Ouest.

Quelques heures à peine le séparaient de Khanbalik quand il atteignit le bord d'un fleuve couvert de jonques et de sampans. Un pont de plus de trois cents mètres, d'une largeur de huit mètres, fait entièrement de marbre, et possédant vingt-quatre arches soutenues par autant de piliers, reliait les deux rives du Yang-ting. Tout le long de l'ouvrage, et de chaque côté, courait une succession de colonnes reposant sur des lions. L'intervalle de trois pieds qui séparait ces colonnes était garni de plaques de marbre servant de parapet, toutes sculptées de motifs différents. D'autres lions couronnaient les pilastres. On considérait cette œuvre comme une des merveilles de l'Empire. Elle avait été exécutée un siècle auparavant, sous la dynastie des Kin, alors à l'apogée de leur grandeur.

Trente milles plus loin, après avoir traversé une campagne pleine de jardins, de fontaines, de belles prairies en fleurs, Marco vit la ville de Tcho-tcheou. Elle était très ancienne, et s'illustrait par la naissance, deux siècles avant le Christ, du fondateur de la dynastie des Han. Ses habitants, fort affables, vivaient du commerce et de l'industrie de la soie. Les temples des idoles pullulaient. On en avait consacré aux esprits de la Pluie, du Tonnerre, des Nuages, du Vent, aux dieux des ouvriers de la soie, à celui des chevaux, au roi qui calme les flots, au génie des sauterelles, aux Huit dragons, aux Huit insectes destructeurs. Parce que Tcho-tcheou se trouvait à la bifurcation des routes qui conduisaient des provinces du sud et de l'ouest vers Khanbalik, elle était remplie d'une animation extraordinaire. Une vieille tradition voulait que le gouverneur de la ville fût tenu d'héberger et de faire escorter les hauts fonctionnaires de passage. Un gouverneur avait fait graver l'inscription suivante sur les portes de Tcho-tcheou: « Autour de la Capitale, il n'est pas d'endroits aussi fréquentés que celui-ci; comme ennuis et difficultés, c'est le premier district de l'Empire ».

* * *

T'ai-yuen-fou se trouvait à dix journées de Tcho-tcheou. Ancienne capitale des T'ang, elle était devenue sous les Mongols le centre principal de la fabrication des équipements nécessaires à l'armée. Un savant système d'irrigation avait fait de la vallée qui l'entourait un magnifique grenier d'abondance. La vigne, portant des raisins d'une grosseur prodigieuse, y croissait à profusion, et les Annales chinoises célébraient à l'envi l'excellence de son vin.

A sept jours de T'ai-yuen-fou, dans la direction de l'Ouest, s'élevait la splendide P'ing-yang, fondée vingt-trois siècles avant l'ère chrétienne par l'empereur Yao. Elle possédait des monastères, des abbayes, des collèges, d'innombrables temples, un célèbre observatoire d'astronomie. On y fabriquait des poteries noires, renommées pour leur éclat métallique. Des collines de lœss bordaient la vaste plaine d'alluvions que commandait P'ing-yang, où vivaient, dans des cavernes de troglodytes, de farouches indigènes que nulle force n'avait pu réduire.

A deux jours de P'ing-yang, Marco vit une énorme forteresse construite jadis par les Huns après leur conquête de la Chine. Les rois barbares qui s'y étaient succédé avaient bientôt sombré dans la débauche la plus complète. Ils vivaient entourés de femmes et d'eunuques, se promenaient dans de petites voitures traînées par des moutons enrubannés, entretenaient comme garde personnelle un corps d'amazones vêtues d'uniformes de soie et de brocart, qui tiraient de l'arc à pied et à cheval, dansaient nues dans les bosquets, et pratiquaient l'art de la divination par les étoiles. Après la chute des Huns, des roitelets chinois, vassaux des Empereurs, avaient occupé la forteresse. Ils vivaient à la façon de ceux qui les y avaient précédés. L'un d'entre eux provoqua Prêtre-Jean. On le nommait, pour le luxe inouï dont il s'entourait, le roi d'Or. Prêtre-Jean lui tendit une embuscade, s'en empara, le fit comparaître devant lui:

— Tu dois savoir, lui dit-il, que tu es le mal venu !

Le roi d'Or ne répondit rien. Prêtre-Jean commanda à ses hommes de le dépouiller de ses vêtements, et le fit commettre à la garde des bestiaux. Deux ans plus tard, l'ayant fait revêtir de riches habits, il le fit amener de nouveau en sa présence:

— Te rends-tu bien compte, maintenant, que tu n'étais pas capable de me faire obstacle ?

Le roi d'Or répondit:

— Certes, Beau Sire ! Je sais bien et ai toujours su que je n'étais pas de taille à te résister !

— Pourquoi m'as-tu donc provoqué ?

— L'orgueil et la vanité m'ont perdu ! Et je voulais éblouir mon peuple...

— Tu n'avais plus de peuple ! Tu avais transformé tes hommes en eunuques, et tes femmes en viles courtisanes. Mais ta réponse est bonne. Tu peux retourner chez toi en paix. Une escorte t'accompagnera. Et je te ferai désormais servir et honorer.

Une chevauchée de trente-cinq kilomètres conduisit l'envoyé de Koubilaï sur les rives du Caramoram, ou Fleuve Jaune. « Il est si important qu'on ne le peut traverser par un pont; il est en effet très large et très profond, et va jusqu'à la grande mer océane qui environne le monde, c'est-à-dire la terre entière. » Ses débordements étaient légendaires. Il prenait sa source dans les montagnes inaccessibles du Thibet et parcourait la Chine, de l'ouest à l'est, sur une longueur de quatre mille cinq cents kilomètres. On lui élevait des statues, des autels, et, le craignant et l'admirant tout à la fois, on lui offrait de somptueux sacrifices. Grâce aux alluvions que ses lourdes eaux charriaient, les régions basses qu'il traversait profitaient d'une extrême fertilité. On y trouvait le mûrier, la lavande, le millet, le galanga, le gingembre. Certains bambous atteignaient cinquante centimètres de circonférence.

Le fleuve franchi, Marco pénétra dans la ville de Hoa-tcheou, située au pied d'une haute montagne sacrée dont le sommet, perdu dans les brouillards, était défendu par des parois lisses et verticales. Un temple s'y dressait, garni de stèles de marbre noir, parmi les sombres fuseaux des cyprès funèbres. Des prêtres taoïstes, vivant dans l'étude et la méditation, habitaient de petites pagodes voisines; ils ne descendaient jamais dans la vallée, et s'alimentaient des offrandes que les fidèles déposaient au pied du roc, dans des paniers, et qu'ils tiraient à eux par le moyen de longues cordes. Le temple était entouré de sources vives qui, se divisant, coulaient vers des directions différentes et se jetaient dans le vide, couronnant le mamelon de longues et minces chevelures d'argent.

La ville de Hoa-tcheou était bruyante et prospère. On y faisait des tissus d'or renommés pour leur souplesse et pour leur éclat. Elle avait rang de « noble cité ». Elle se trouvait à huit jours de Si-ngan-fou, capitale du Ngan-si, royaume de Mangala.

* * *

Quinze cents ans plus tôt Cheu Hoang-ti, roi des Ts'inn (d'où le nom Chine), ayant achevé de détruire les Six Royaumes qui formaient alors une vaste confédération comparable au système de la féodalité moyenâgeuse d'Occident, jeta les bases d'un empire absolu, soumis à des lois implacables, et dirigé par des forces militaires. Le roi prit le titre d'Empereur du Monde. Il commanda que ses successeurs, à sa mort, fussent simplement désignés par des numéros d'ordre jusqu'à épuisement des chiffres, car sa dynastie, prétendait-il, devait être éternelle. Très lettré, liseur infatigable, mais soucieux d'étouffer les traditions transmises par les Annales et par les Odes, et craignant surtout un jeu de comparaisons dangereuses pour la sécurité de sa tyrannie, il fit assembler tous les livres écrits jusqu'à cette date, et ne conservant que certains traités de médecine, d'agriculture et de divination, les fit brûler dans un immense autodafé. Les savants, les poètes, les historiens, les philosophes furent traqués comme des bêtes fauves; « ils citent l'antiquité pour critiquer le présent: ils embellissent le passé afin d'enlaidir le présent. Ils citent toujours l'histoire pour blâmer... » Les sans-travail et ceux qui jouissaient paisiblement de petites rentes furent ramassés et condamnés à travailler, sans rémunération, et sous le fouet des gardes, comme des forçats, à l'édification de la grande Muraille, de la nouvelle capitale, du palais impérial, et du futur tombeau de l'Empereur. Ils furent bientôt plus de sept cent mille. La plupart moururent à la tâche.

La capitale s'élevait sur l'emplacement de Si-ngan-fou. L'Empereur avait voulu donner à ses murailles la forme de la Voie Lactée. Il ordonna à cent vingt mille familles des Royaumes, qui comptaient parmi les plus riches et les plus puissantes, de venir s'y établir et d'y élever leurs palais, chaque palais devant représenter une étoile de la constellation. Il fit construire en outre, chaque fois que ses généraux s'emparaient d'une forteresse, la réplique du palais du prince vaincu, et garnissant ces édifices des œuvres d'art et des objets précieux qu'ils avaient pu dérober, il y logea les plus belles femmes de l'Empire. Des rues pavées de marbre, des allées recouvertes de soieries, des jardins suspendus, des bains, des terrasses, des fontaines firent de la capitale une vaste cité de rêve. Elle fut bientôt si étendue que ses murailles furent débordées, et l'on prétendit qu'il eût fallu à un homme, pour la traverser de l'est à l'ouest, marcher huit jours. Au dire des Annales, sa population s'élevait à plusieurs millions.

Cheu-Hoang-ti mourut soudain, laissant deux fils. L'héritier fut assassiné par son frère, qui devint empereur. A la faveur de ces changements, aidés par les Lettrés qui avaient pu échapper aux persécutions de l'Empereur du Monde, les Royaumes se reformèrent, se liguèrent contre le Pouvoir souverain, puis se divisèrent en deux puissantes factions rivales, chacune tentant de s'approprier la couronne impériale. A la tête de l'une d'elles se trouvait Liou-pang, un général ignare doublé d'un politicien sans scrupules. Il feignit tout à coup de regretter sa rébellion, embrassa la cause du fratricide, gagna sa confiance, la trahit au moment opportun, et fonda la dynastie des Han. Sa reconnaissance fut telle vis-à-vis de ceux qui l'avaient aidé que lorsqu'il croisait un Lettré sur son passage, il lui arrachait son bonnet et urinait dedans en signe de mépris. L'Empire éternel des Ts'inn avait duré quinze ans.

Les splendeurs de l'ancienne capitale avaient été rejoindre depuis longtemps la poussière des dynasties défuntes quand Marco atteignit Si-ngan-fou. Il vit une grande ville occupée de commerce et d'industrie, pleine de rumeurs et de mouvements, où le coût de la vie était extrêmement modeste. Le palais de Mangala, entouré d'un mur crénelé de huit kilomètres de tour, s'élevait à quelque distance de la ville. Les troupes du roi étaient cantonnées dans le voisinage. Comme le plus grand calme régnait dans le royaume, les soldats passaient leurs loisirs à chasser, à cultiver la terre. Mangala, qui aimait la justice, gouvernait bien son peuple, et son peuple l'aimait. Il reçut l'envoyé du Grand-Khan avec une bienveillance qui permit à celui-ci d'accomplir heureusement sa mission.

* * *

Parmi les grands barons du Singh se trouvait un musulman du nom d'Ahmed. Son habileté, sa ruse, une éloquence abondante, un art parfait de la flatterie lui avaient donné, auprès de Koubilaï, une influence et une autorité exceptionnelles. L'Empereur ne jurait que par lui. Il régnait au Conseil en maître absolu.

Ceux qui osaient élever des protestations se voyaient condamnés impitoyablement, après avoir été accusés de quelque crime capital, et sans avoir pu se justifier, car nul avocat n'eût osé les défendre contre Ahmed. Ses rivaux écartés, contrôlant toutes les charges et toutes les nominations, il accumulait les richesses et les femmes. Ses nombreux fils montraient la même avidité et commettaient impunément les pires malversations. Chacun tremblait devant eux; l'Empereur seul ignorait tout.

Des révoltés ayant à leur tête un Chinois nommé Tchen-tcheou, dont la fille, la femme et la mère avaient été violées par Ahmed, se groupèrent bientôt dans le but d'abattre le tyran et de s'emparer du pouvoir. Tchen-tcheou s'allia à Wang-tchou, chef de touman, qui commandait à dix mille hommes. Ils attendirent le départ de Koubilaï et de sa cour pour Chang-tou, et firent parvenir à Ahmed, dans la nuit, un message signé de Genghis lui demandant de venir immédiatement au palais pour traiter une matière très grave. Or le Prince héritier était absent, et les deux conspirateurs, avec leurs hommes, occupaient son palais. Sur son chemin, Ahmed rencontra Cogotaï, le commandant de la garde, et lui raconta les motifs de sa présence à une heure aussi singulière. Cogotaï, qui s'étonnait du retour de Genghis, flaira le piège, voulut accompagner son protecteur avec quelques soldats.

Les fenêtres du palais de Genghis brillaient d'un éclat inaccoutumé. Un grand silence régnait dans les pièces intérieures. Ils se dirigèrent vers la salle d'audience. Wang-tchou, revêtu des habits du Prince, se tenait assis sur le trône. Ahmed crut voir là Genghis, s'avança vers lui, se prosterna, et Tchen-tcheou, d'un seul coup de sabre, lui trancha la tête. Cogotaï, qui se tenait à la porte de la salle, appela ses soldats et décocha une flèche à Wang-tchou, le blessant grièvement. La confusion qui suivit ne permit pas aux hommes de Wang-tchou de repousser les soldats du commandant; Tchen-tcheou fut saisi, garrotté; les signaux convenus ne purent être donnés aux différentes factions de la ville, qui les attendaient pour s'emparer des postes stratégiques, et la conjuration échoua lamentablement.

Pendant que des messagers galopaient vers Chang-tou, portant à Koubilaï les nouvelles du complot, Cogotaï fit torturer sur la place publique les deux chefs chinois. Leurs chairs furent hachées menu. Avant de mourir, Wang-tchou eut la force de s'écrier:

« Je meurs pour avoir voulu extirper le mal de l'Empire, mais le jour est proche où l'on me rendra justice en cette affaire. »

Des exécutions sans fin plongèrent la capitale dans la stupeur. Les fils d'Ahmed, autant pour satisfaire leurs haines personnelles que pour venger la mort de leur père, multipliaient les dénonciations, obtenaient toutes les victimes qu'ils désiraient. Les messagers revinrent de Chang-tou, disant que l'Empereur était en proie à la plus douloureuse indignation; ils apportaient l'ordre de châtier sans pitié. La répression redoubla de violence. Du plus humble esclave au plus grand seigneur, chacun se sentait soupçonné, trahi. Les fils d'Ahmed terrorisaient l'Empire.

A son retour, Koubilaï voulut interroger lui-même ses ministres, ses généraux. Ils se répandirent en phrases vagues, hochèrent la tête, levèrent les bras au ciel, affirmèrent ne rien connaître des mobiles de l'attentat. Ils savaient que les espions des fils, répandus partout dans le palais, guettaient chaque parole, chaque intonation de voix, couraient vers leurs maîtres après chaque interrogatoire. Koubilaï fit demander le jeune Polo.

— Et toi, que sais-tu ?

— Je sais qu'Ahmed trahit ta confiance depuis vingt ans !

La surprise suffoqua l'Empereur. Quand il put enfin parler:

— Qu'as-tu dit ? Ai-je mal entendu ?

Sa voix tremblait. Il avait aimé Ahmed, pleuré cruellement sa mort... Marco reprit:

— Tes oreilles ne t'ont point trompé ! Je te répète que le nom de cet homme est maudit par tous ceux qui te respectent et t'honorent...

Il lui raconta la vie d'Ahmed, ses crimes, ses exactions, les malheurs qu'il avait provoqués, les haines qu'il avait soulevées et qui, s'enflant comme une marée, déferlaient jusqu'au trône même.

— Mais pourquoi mes conseillers ne m'ont-ils point averti ?

— N'était-il pas celui en qui tu avais mis toute ta foi ? Les autres craignaient ses coups, qui étaient mortels. Ils auraient succombé avant qu'ils eussent pu te convaincre. Tu aurais pensé que la jalousie, l'envie les rongeaient, et tu ne les aurais pas crus.

— Mais toi ?

— Tu me connais à peine. Je suis un étranger ! M'aurais-tu cru davantage ?

Quand il eut pénétré la profondeur de la culpabilité du Musulman, la colère de Koubilaï fut terrifiante. Il ordonna que son tombeau fût ouvert, son cercueil brisé, que son cadavre fût mis en pièces et livré aux chiens. Les fils, les frères, les neveux, les femmes, les concubines furent écorchés vifs et abandonnés à la fureur joyeuse de la populace. Tous ceux qui, de près ou de loin, touchaient au sang d'Ahmed, furent mis à mort. Les biens accumulés par les concussionnaires étaient tels qu'ils surpassaient en valeur le trésor du Grand-Khan. Après que les familles lésées eurent reçu de justes indemnités, il restait encore tant de richesses que l'Empereur déclara « qu'elles eussent suffi pour recouvrir d'or pur tous les toits d'une ville capitale ». Les coutumes et la religion des Sarrasins qui jusqu'alors, et dans tous les Royaumes, avaient joui de la plus grande liberté, furent soumises à de rigoureuses mesures de contrôle. Enfin, par un décret impérial, le nom d'Ahmed et des siens fut rayé du vocabulaire chinois.

Malgré son jeune âge, Marco Polo se vit accorder la présidence de la Cour des Censeurs, la vice-présidence du Conseil supérieur de la Guerre, et la dignité de Grand Maître des Cérémonies. Koubilaï dit de lui, devant toute la Cour assemblée: « Si ce jeune homme vit, il ne peut manquer d'être homme de grand sens et de grande valeur. » Marco Polo reprit ses voyages.

CHAPITRE XIV

A QUARANTE-DEUX jours du royaume de Mangala, dans la direction du sud-ouest, se trouvait la province de Sindufu, ou Se-tch'oan. La capitale se nommait Tchengtou. Elle avait vingt milles de circonférence. De nombreux cours d'eau la traversaient, dont le plus important, le Kiang, était large d'un kilomètre. Un pont reliait ses rives, possédant une toiture soutenue par une rangée de colonnes de marbre. Tout le long du palier, des échoppes, des boutiques se faisaient vis-à-vis; un bâtiment en forme de porte monumentale s'élevait au milieu du pont, qui était la douane de Koubilaï. Les seules recettes de péage accusaient, chaque jour, « en or fin mille poids et plus ».

La capitale du Se-tch'oan s'enorgueillissait de trois cités distinctes qui avaient été, avant la conquête mongole, l'apanage de trois rois. Chacune de ces cités possédait son palais, sa cour, ses ministres, son gouvernement, ses lois, ses tribunaux, et sa propre enceinte à l'intérieur de la grande enceinte générale. Dans les mois d'été, vers la fin du jour, les mandarins riches, au fond de jonques somptueusement décorées, parmi leurs femmes et leurs concubines et au son de musiques langoureuses, faisaient gravement le voyage des Trois Royaumes.

La capitale était très belle, peuplée de gens aimables, bien vêtus, qui jouissaient pour la plupart d'une agréable aisance. La façade des maisons s'ornait de sculptures en relief représentant des génies souriants, des animaux inoffensifs, de longues fleurs stylisées, des scènes de la vie pastorale et domestique. Des arcs de grès rouge enjambaient les avenues principales, portant des sentences écrites en caractères géants et noirs qui célébraient les hauts faits des conquérants. Un grand tribunal occupait le centre de la ville; des juges y logeaient en permanence; un gong était placé dans la cour intérieure, et tout homme qui se croyait lésé dans ses droits n'avait qu'à frapper sur l'instrument, à quelque moment que ce fût du jour ou de la nuit, pour qu'un juge vînt entendre sa plainte. La vallée de Tcheng-tou montrait une prodigieuse fertilité. Elle s'étendait sur plus de cent kilomètres carrés et produisait en abondance le riz, la soie, le blé, le thé, le maïs, le kao-leang et la canne à sucre.

Cette plaine franchie, cinq jours de chevauchée conduisirent Marco Polo dans une région montagneuse, aride, aux villages rares et ravagés. Le passage antérieur des cavaliers mongols n'avait laissé que ruines, et les villes détruites étaient marquées par de longs kilomètres de pierres calcinées. Les bêtes féroces, qui s'étaient multipliées depuis la dispersion des indigènes, erraient dans une brousse hérissée de hauts bambous. Des tigres, en plein jour, bondissaient à la gorge des chevaux et des mules des caravanes. Le soir, on entourait le campement d'une couronne de fagots de bambous verts, à côté desquels on allumait des feux; les bambous éclataient successivement sous l'action de la chaleur, produisant des détonations qui faisaient fuir les fauves. Enfin, au bout de vingt jours, des forteresses, des bourgs apparurent, perchés au sommet de montagnes surplombant des précipices insondables, des ravins de cauchemar.

Le royaume du Thibet avait été soumis par les armées de Koubilaï. Ngao-lou-t'che, septième fils de l'Empereur, en était le souverain. Cependant les Lamas, tapis au fond de leurs couvents, usant des mille tours qu'ils puisaient dans l'application des sciences occultes, où ils étaient passés maîtres, pour dominer une population ignorante et grossière, détenaient le pouvoir réel. Ils administraient les trésoreries, prélevaient des taxes spéciales, nommaient les gouverneurs des provinces, et réglementaient les actes de la vie privée sans que personne pût s'y opposer. Ils avaient à leur tête le Dalaï-lama, grand prêtre suprême et sacré, incarnation de Bouddha.

Les Thibétains vivaient de culture, de chasse et d'élevage. Ils recueillaient le sable d'or qui roulait dans les rivières du Thibet oriental, l'échangeaient avec des marchands de l'Inde pour des grains de corail dont ils ornaient leurs idoles et leurs femmes. Le sel, fort rare, leur servait de monnaie d'échange. Ils étaient petits, gras, jaunes, fourbes et pillards. Celui qui s'était enrichi par le vol jouissait de la plus haute considération; le voleur pris sur le fait, s'il devait subir la rigueur des lois, ne continuait pas moins de profiter de l'estime générale, et on le plaignait comme s'il se fût agi d'un honnête négociant dont les affaires eussent été ruinées par des circonstances malheureuses. Leurs mœurs étaient extrêmement dissolues. La polyandrie et la polygamie se pratiquaient de façon courante. On rencontrait de riches veuves qui possédaient trois maris. Les jeunes filles ne trouvaient point d'époux à moins d'avoir sacrifié leur vertu à plusieurs galants. Leurs mères les conduisaient aux étrangers de passage, aux marchands des caravanes, qui en disposaient pour le temps de leur séjour. « A la vérité, il convient que vous donniez à celle que vous aurez choisie un annelet, ou quelque petite chose, ou n'importe quel insigne qu'elle puisse montrer quand elle voudra se marier pour prouver qu'elle a eu plusieurs hommes. Car ce n'est pas pour un autre motif qu'elles agissent ainsi; et toute pucelle est ainsi obligée, par le moyen que je vous ai dit, de se procurer plus d'une vingtaine de ces joyaux avant qu'elle se puisse marier. Celles qui ont le plus de joyaux, et qui pourront mieux prouver qu'elles ont été les plus recherchées, sont considérées comme les meilleures; elles seront plus volontiers épousées, parce qu'elles sont dites plus gracieuses. Mais une fois mariées, on a pour elles beaucoup d'attachement et on considérerait comme très grande vilenie qu'un homme touchât à la femme d'un autre. »

Poursuivant sa route, Polo atteignit une autre province nommée Cain-du, gouvernée par des fonctionnaires du Khan, qui comptait nombre de villes et de villages murés. On cultivait dans les vallées le girofle, la cannelle. La vigne était inconnue, mais on distillait de l'alcool avec du riz, du froment, et certaines épices fortes. La richesse principale du pays provenait de nappes souterraines d'eaux salées. On forait des puits, parfois à de grandes profondeurs, et l'on faisait bouillir l'eau qu'on en retirait dans de petites marmites; le résidu formait alors une sorte de pâte qui était moulée en pains, lesquels étaient séchés et durcis entre des pierres brûlantes. Ces pains de sel, portant l'estampille des fonctionnaires, servaient de monnaie courante dont la valeur variait suivant le poids. Les indigènes, que ce contrôle limitait dans leurs bénéfices, s'abouchaient avec des contrebandiers qui franchissaient les frontières et portaient au loin, dans les endroits les plus reculés du Thibet, la rare et précieuse substance dont ils retiraient parfois une mesure égale en poussière d'or.

La province de Cain-du possédait en outre une montagne truffée de turquoises, et un lac de quarante kilomètres où se trouvaient des perles du plus bel orient. Il était cependant défendu, sous peine de mort, d'extraire les turquoises ou de pêcher les perles sans une autorisation expresse du Grand-Khan. Une ordonnance du Seigneur disait que « s'il était permis d'en retirer autant qu'il y en a là-dedans, où il y en a à foison, la production serait telle qu'elles seraient tenues pour trop viles et ne vaudraient plus rien ».

De Cain-du, après dix jours de chevauchée, Polo rejoignit le fleuve Brius (le Haut-Yang-tsé), qui roulait des eaux jaunes et torrentueuses entre des parois de rocs droits comme des murs, et pénétra dans l'immense province de Carajan.

* * *

Gouvernée par Essentimour, fils de Cogacin, qui avait été empoisonné par son ministre principal, et petit-fils de Koubilaï, la province de Carajan, que l'on appelait aussi Yunnan, comprenait sept royaumes, à savoir Carajan proprement dit, Zardandan, Mien, Bangala, Cangigu, Amu et Tholoman.

On trouvait au Carajan, qui était riche, du riz, du froment, du sel, de l'argent, de l'or, et d'énormes serpents d'une longueur démesurée, certains atteignant dix mètres, que les indigènes capturaient au moyen de trappes. Après les avoir écorchés, ils en dévoraient la chair crue. Ils préparaient un médicament précieux avec la sécrétion glandulaire des reptiles, qu'ils employaient dans les cas de grossesses difficiles, d'empoisonnements alimentaires et de rage. Ils adoraient d'innombrables idoles, se servaient de coquillages en guise de monnaie, ignoraient la jalousie, et leurs femmes faisaient de leur corps ce que bon leur semblait. Ils pratiquaient une coutume singulière: ils tuaient l'hôte de passage à qui ils avaient donné l'hospitalité si ce dernier, par quelques vertus spéciales, se distinguait du commun, croyant que son âme, qui demeurerait ainsi dans la maison, continuerait d'y répandre éternellement son charme.

Le Zardandan était situé au sud-ouest de Carajan. Ses habitants adoraient l'ancêtre de la famille, lui offraient des sacrifices, cherchaient par des moyens magiques à deviner ses désirs et à s'y conformer. Ils ignoraient l'écriture et les chiffres. Ils se servaient pour traiter leurs affaires d'une baguette de bois sur laquelle ils faisaient un certain nombre d'encoches, et qu'ils fendaient ensuite en deux moitiés, chaque partie conservant sa pièce; l'affaire conclue, le créancier remettait à son débiteur le morceau de bois détenu comme gage de l'exécution du marché ou du paiement de la dette. Ils faisaient venir auprès de leurs malades des enchanteurs qui forçaient les esprits mauvais à déclarer si le patient dût guérir ou succomber. Une réponse favorable entraînait des chants, des danses, de nombreux dons. Il arrivait fréquemment que les esprits fussent hostiles, et dans ce cas les enchanteurs, pour fléchir leur rigueur et obtenir le pardon nécessaire, exigeaient de la famille du malade de lourds sacrifices matériels.

Les hommes, d'une paresse peu commune, ne s'occupaient que de chasse et de pêche, laissant aux femmes tous les travaux de labour, de culture, d'élevage; dans les expéditions fluviales, elles poussaient les embarcations à la pagaie, les halaient ou les transportaient selon les besoins; elles portaient également les armes, les provisions et le gros gibier. Dès qu'une mère avait accouché, elle lavait son enfant, l'enveloppait de langes, le remettait à son mari qui avait pris sa place dans le lit, et poursuivait ses travaux momentanément interrompus. Le mari demeurait couché pendant quarante jours; ses parents et ses amis venaient le visiter, lui apportaient des fruits, de l'alcool, chantaient et riaient pour le distraire. Ils prétendaient qu'il était juste que l'homme prît ainsi sa part des douleurs que la femme avait endurées.

Tous les hommes qui parvenaient à une certaine aisance recouvraient leurs dents d'un étui d'or.

* * *

Une longue descente vers le sud conduisait au royaume de Mien, dans le territoire birman. Une jungle inextricable couvrait la région. Des tigres, des rhinocéros, des éléphants battaient les fourrés et les marais. Le royaume avait été conquis peu d'années auparavant par Nasir-ed-din, officier de Koubilaï, qui commandait mille cavaliers. Le roi birman disposait de soixante mille hommes et de deux mille éléphants, chacune de ces bêtes portant une tour qui contenait douze archers. Nasir, informé de ces forces, hésita d'abord à engager le combat. Il ignorait leurs méthodes de guerre, connaissait mal le terrain. Mais les Mongols avaient-ils jamais refusé de livrer bataille ?

L'armée du roi occupait une vaste plaine et formait une masse compacte et quadrangulaire d'où surgissaient, sous le soleil, les fers étincelants des lances innombrables. Les cavaliers de Nasir se tenaient à la lisière de la jungle. Un espace d'un mille les séparait de l'ennemi. Nasir chargea soudain. Mais à ce moment même le monstrueux carré du roi s'entr'ouvrit et laissa le passage aux éléphants, qui s'avancèrent en barrissant contre la troupe au galop. A leur vue, les chevaux épouvantés des Mongols se cabrèrent, s'arrêtèrent, tremblant de tous leurs membres. Les cavaliers voulurent en vain les enlever, ils piétinaient sur place, tentaient de fuir. Cependant les éléphants avançaient toujours. Alors Nasir commanda à ses hommes de mettre pied à terre, de chasser les chevaux, de bander leurs arcs, de tirer. Et la bataille s'engagea.

Les Mongols étaient meilleurs tireurs que les Birmans. Ils avaient aussi l'avantage de belles cibles. Ils précipitèrent leurs coups. Bientôt, blessés, des éléphants s'écrasèrent sur le sol; d'autres prirent la fuite; d'autres chargèrent à l'aveugle, piétinant leurs propres rangs, les paralysant, semant parmi eux le désordre et la confusion. La mêlée devint affreuse et « les cris et le tumulte étaient si grands de part et d'autre que l'on n'y eût pu ouïr Dieu tonnant ».

Profitant de ce désarroi, et reprenant leurs chevaux, les Mongols bondirent sur les Birmans et les massacrèrent. Ils firent de leurs prisonniers des esclaves; le nombre en était si élevé qu'ils échangèrent, plus tard, dans leurs pays, les plus vigoureux pour une paire de bottes.

La capitale de Mien était populeuse et riche. Au centre de la ville s'élevait un immense sépulcre de marbre dressant à chacune de ses extrémités deux tours de quinze mètres en forme de pyramides. L'une était couverte d'or et l'autre d'argent. Les conquérants voulurent les abattre et s'emparer du métal. Koubilaï le leur défendit: — « Ce roi les fit faire pour son âme et pour sa gloire et pour que l'on pût garder remembrance de lui jusqu'à la fin de leur durée. Laissez-les en l'état où elles sont ! »

* * *

Essentimour poursuivait la conquête de Bangala. Au Bangala, les indigènes faisaient commerce d'esclaves; ils émasculaient leurs prisonniers et les vendaient comme eunuques aux seigneurs de l'Inde, de Perse et d'Arabie. Ils possédaient un grand nombre d'idoles. Ils avaient des écoles où l'on enseignait les sciences de la magie.

Polo traversa les trois royaumes de Cancigu, d'Amu et de Tholoman. Le Cancigu fournissait de l'or en abondance. Les hommes et les femmes se faisaient tatouer le corps. Ils étaient bouddhistes et détestaient verser le sang. Le pays produisait aussi le benjoin, le santal blanc. Chaque village entretenait son monastère; les moines formaient le quart de la population.

A quinze jours de là se trouvaient les beaux pâturages du royaume d'Amu. On y élevait des moutons, des bœufs, des buffles et une race de chevaux rapides et nerveux fort recherchés par toute l'Asie. Les hommes et les femmes portaient aux bras et aux jambes de lourds bracelets d'or et d'argent; ceux des hommes atteignaient parfois une très grande valeur.

Le Tholoman était un pays montagneux situé à l'est d'Amu, qui descendait jusqu'au golfe du Tonkin. On vantait la valeur de ses guerriers. Les femmes étaient douées d'une grande beauté. Les habitants faisaient brûler leurs morts, en recueillaient les cendres et les déposaient dans des coffrets de bois précieux qu'ils allaient suspendre aux voûtes des grottes, dans les montagnes.

* * *

Polo rapportait aussi à Koubilaï de nombreux détails sur l'étonnante Zipangu (Japon). Les marins des ports de l'Inde et de la Chine racontaient des histoires fantastiques au sujet de cette île, où se trouvait de « l'or en abondance si démesurée qu'ils ne savaient qu'en faire ». On affirmait que les toits, les murs, les fenêtres, les planchers, les plafonds du palais de l'Empereur étaient recouverts de plaques d'or de trois doigts d'épaisseur. Des perles roses et noires, d'une valeur inestimable, abondaient sur les côtes. (Quand on ensevelissait un mort, on lui plaçait une perle dans la bouche.) Le sol, très riche, fournissait le thé, le coton, le froment, l'orge, le chanvre, le morokosi, la canne à sucre, et d'immenses forêts de pins, de sapins et de chênes. On disait en outre que le pays était fort mal défendu.

Les Chinois connaissaient depuis longtemps l'existence de Zipangu. Ils prétendaient qu'elle était à l'origine peuplée de grands singes, et qu'une fontaine y jaillissait, qui donnait l'immortalité à ceux qui buvaient de son eau. Un Empereur chinois avait alors dépêché une troupe de trois cents jeunes hommes et femmes pour y trouver la fontaine et lui rapporter de son élixir. On ne les avait jamais revus; la légende ajoutait que les singes s'étaient emparés d'eux, et que du monstrueux rapt était issue la race japonaise.

Plus tard, dans le cours des siècles, les insulaires de Zipangu avaient payé le tribut aux Empereurs de Chine. Ces relations avaient été rompues peu avant la conquête mongole. Koubilaï, de nouveau, avait tenté, par l'envoi d'ambassadeurs, de lui imposer sa suzeraineté. Mais Zipangu s'était montrée indifférente aux menaces, et dans une réponse fort sèche, avait déclaré tout net qu'elle entendait être désormais maîtresse chez soi. Koubilaï ragea. Les récits de Polo, qui avaient excité sa convoitise, la colère, l'orgueil, l'invincibilité de ses troupes, tout le porta à vouloir brusquer cette nouvelle conquête. Il arma une flotte portant une armée de cent mille hommes, commandée par deux des meilleurs barons de l'Empire.

Les Mongols abordèrent Zipangu, (il s'agit de l'île principale, l'archipel japonais comprenant près de quatre mille îles) envahirent et brûlèrent quelques villages. Mais un typhon s'éleva soudain, et craignant que leurs vaisseaux ne fussent brisés sur les récifs, les barons firent embarquer leurs troupes et commirent l'imprudence de vouloir gagner le large. La violence des vents et la furie de la mer eurent vite dispersé l'escadre. Des jonques sombrèrent, d'autres furent entraînées au loin, d'autres allèrent se fracasser sur les côtes d'une petite île déserte et nue, où trente mille soldats, nageant ou s'accrochant aux épaves, purent aborder.

La tempête s'était apaisée, les naufragés se voyaient sur le point de mourir de soif et de faim quand ils aperçurent une flotte nombreuse qui s'avançait vers eux. L'Empereur de Zipangu venait venger les affronts subis. A-la Han, le baron rescapé, fit alors placer quelques centaines de soldats, armés de leurs arcs, devant la mer, et commanda au gros de ses troupes de se dissimuler derrière les collines rocheuses de l'île. Les Japonais mouillèrent leurs vaisseaux dans les baies, descendirent à terre, et attaquèrent les Mongols armés qui retraitaient peu à peu en combattant, de façon à attirer l'ennemi, cependant que les troupes dissimulées dans l'île contournaient les rocs, descendaient vers la mer, s'emparaient des navires abandonnés et cinglaient droit sur Zipangu.

Les Mongols abordèrent de nouveau la grande île et se dirigèrent vers la capitale. Ils brandissaient les bannières, les étendards, les gonfalons qu'ils avaient saisis sur les bateaux japonais, de sorte que la garnison de la ville, croyant voir là le retour victorieux de ses troupes, ouvrit grandes ses portes, et leur permit ainsi d'occuper sans peine tous les points fortifiés. Ils en chassèrent la population « à l'exception des belles femmes qu'ils gardèrent pour eux », mirent la cité en état de défense, espérant que des jonques échappées au typhon avaient pu rejoindre la Chine et que Koubilaï, averti, leur enverrait des renforts.

Mais ce fut l'empereur de Zipangu qui vint faire le blocus de la ville. Le siège dura deux cent quatorze jours. Au bout de ce temps les Mongols, épuisés, affamés, décimés par les fièvres et le scorbut, furent obligés de se rendre sans condition. On tua la plupart des survivants; ceux que l'on épargna furent réduits au plus bas esclavage. Le baron fut déporté dans l'île de Tchorcha, où on lui infligea le supplice réservé aux pires criminels; il fut enveloppé dans la peau soigneusement cousue d'un bœuf que l'on venait d'écorcher, et il fut exposé au soleil. En séchant, la peau de bœuf se rétrécissait peu à peu, faisait éclater les chairs, broyait tous les os du corps.

Aucune jonque de l'expédition ne revint jamais en Chine. Plus tard on prétendit que celles qui avaient été dispersées par la tempête, après avoir longuement erré sur les mers, s'étaient enfin échouées sur des côtes sauvages, où leurs soldats avaient fondé un Empire. Celui des Incas, au Pérou.

CHAPITRE XV

D'AUTRES VOYAGES conduisirent Polo dans la vieille Chine des Soung. Elle formait, au sud-ouest de Cathay, l'immense pays de Manzi, divisé en neuf royaumes, dont les armées de Koubilaï, commandées par le général Bayan, venaient d'achever la conquête.

Le dernier des Soung, souverain de Manzi, se nommait Toutsong. Il avait hérité de ses ancêtres le mépris des armes, le goût des femmes, une grande naïveté, et la foi, comme Koubilaï, en ses astrologues. Il n'imaginait pas que les Mongols, malgré leurs convoitises, pussent songer à l'attaquer au cœur même de son Empire. La perte de quelques provinces éloignées ne l'avait point ému; ces Barbares que la faim poussait hors de leurs frontières seraient vite assouvis, ils s'affaibliraient dans de faciles délices et disparaîtraient. En outre un devin lui avait déclaré que l'Empire ne pouvait être vaincu que par un homme possédant cent yeux.

Bayan surgit au Manzi avec une troupe de choc peu nombreuse, mais exercée, farouche. Connaissant l'horreur que les Chinois du sud professaient de la guerre, il n'attendit pas le gros de son armée qui tardait trop, selon lui, à venir, et pénétra dans les Royaumes. La première ville importante qu'il rencontra sur sa route s'appelait Hai-ngan-tcheou. Laissant ses cavaliers au pied des murailles, il entra dans la ville avec quelques hommes, se rendit chez le gouverneur et lui dit:

— Je vous somme, toi et les tiens, de vous rendre au Grand-Khan mon seigneur !

— Nous n'en ferons certes rien, répondit calmement le Chinois. Et tu peux continuer ta route, mes affaires me pressent, le temps me manque pour t'entendre davantage.

Puis il tourna le dos au Mongol et reprit avec ses amis la conversation interrompue.

Bayan rejoignit ses cavaliers, poursuivit sa route, fit les mêmes sommations à la prochaine ville qu'il vit, en reçut le même accueil. Puis il y eut une troisième ville, une quatrième ville. Il n'osait attaquer, guettait toujours l'arrivée de l'armée promise. A la cinquième ville, ses cavaliers grognèrent. Ils souffraient de cette promenade inactive, voyaient ces richesses, ces palais, ces femmes, brûlaient de se battre, de les conquérir. Cependant Bayan put apaiser leur fougue et atteignit Tch'ang-tcheou, la sixième ville. Il était à faire les sommations d'usage quand ses cavaliers, feignant de mal interpréter un commandement, attaquèrent brusquement la ville et la forcèrent. Paralysée par la surprise et par l'affolement, la population n'opposa aucune résistance à ces hommes déchaînés qu'elle croyait être l'incarnation même des démons funestes. Le pillage et l'orgie durèrent des jours.

Ce succès inespéré, que Bayan eut l'habileté d'attribuer à un malentendu plutôt qu'à une grave indiscipline, le convainquit d'agir sans plus de retard. Il continua d'avancer dans le Manzi, prit six autres villes d'assaut, revint sur ses pas, s'empara des villes qu'il avait préalablement sommées de se rendre, y compris Hoai-ngan-tchou, au gouverneur de laquelle ii fit trancher la tête après s'être fait excuser vis-à-vis de lui de ne point pouvoir entendre ses justifications, ses affaires le pressant trop.

Son armée arrivait le lendemain. Il remonta avec elle tout le long des villes conquises, en conquit d'autres, distribua de petites garnisons un peu partout, se fraya un vaste chemin sanglant et

136

bordé de ruines jusqu'à l'étonnante capitale des Neuf Royaumes, Hang-tcheou.

Tou-tsong mit immédiatement sa ville en état de défense. Mais il ne croyait pas à la défaite, ni même à un danger sérieux. Il espérait contre toute raison qu'un événement inattendu, fortuit, le délivrerait tout à coup de ces grotesques envahisseurs. Les habitants de la cité partageaient ses certitudes. Ils étaient riches, paisibles, policés, vivaient depuis toujours dans la sécurité la plus entière, ignoraient la violence et la force, n'imaginaient pas que la fortune pût tourner. Ils allaient se promener sur les remparts, voyaient au loin, dans la plaine, au bord des rivières, des lacs, ces milliers de tentes faites de peaux, ces petits chevaux vifs et râblés qui galopaient en soulevant des tourbillons de poussière et, la nuit venue, ces milliers de feux rouges d'où leur parvenaient, portés par le vent, des chants barbares et rauques, et ils contemplaient ces choses étranges comme s'il se fût agi d'un spectacle de théâtre, sans signification réelle, et qui pût les concerner directement.

Mais Tou-tsong avait surtout confiance en ses devins. Ce général n'avait que deux yeux, comme tous... Or un Lettré s'avisa soudain de traduire le nom mongol de Bayan en langue chinoise, ce qui donna Pe-yen. Et Pe-yen signifiait « cent yeux ».

L'Empereur livra sa capitale et courut se réfugier dans une île de la mer, où il mourut.

* * *

Au dire de Polo, le Manzi renfermait les plus belles villes du monde. Yang-tcheou, ville noble et puissante, et grand centre de l'industrie, commandait vingt-sept cités de moindre importance. Koa-tcheou était située sur le fleuve Yang-tsé. Elle formait le nœud des communications fluviales du Sud avec le Nord. De cette ville partait également une route large, surélevée, pavée de pierres, bordée d'échoppes, de magasins, de tavernes, d'hôtelleries, longue de quarante jours, qui traversait toute la Chine méridionale et aboutissait à Ma-cin (Canton). En face de Koa-tcheou, au milieu du fleuve, se dressait un îlot solitaire et droit, très élevé, au sommet duquel était construit un monastère bouddhique. On le nommait le Temple du Dragon nageant. Il possédait une cloche que l'on entendait sur les deux rives du fleuve. Il contenait la bibliothèque la plus fameuse d'Asie.

Ou-t'chang se trouvait sur le cours moyen du Yang-tsé. Son port était fréquenté par des milliers de jonques. Le percepteur des droits de la navigation déclarait que plus de deux cent mille bateaux remontaient chaque année le fleuve jusqu'à Ou-t'chang, « sans compter ceux qui le descendent et qui ne sont point compris ».

Fou-tcheou bordait le fleuve Min, à cinquante kilomètres de la mer. Elle possédait d'importants chantiers maritimes, et des établissements où l'on cristallisait le jus de canne selon des procédés en usage au Bangala. Il s'y faisait aussi un gros trafic de pierres précieuses. La population se montrait instable et nerveuse et Koubilaï, pour y maintenir l'ordre, devait y entretenir une forte garnison.

Ts'iuen-tcheou, sur la mer Océane, fournissait le plus grand port de Chine. Elle entretenait un commerce régulier avec des négociants venus de tous les coins du monde. On y cuisait une porcelaine fameuse. Au centre de la ville, une grande foire était tenue en permanence, d'où Koubilaï tirait des revenus considérables, chaque marchand devant payer une taxe de dix pour cent sur toutes marchandises; certains produits, tels les bois d'aloès, d'ébène, de santal, rapportaient cinquante pour cent de droits. Les habitants, favorisés par des gains faciles et par un climat délicieux, passaient tout le temps qu'ils ne consacraient pas à leurs affaires dans de somptueuses villas enfouies au fond de jardins qui descendaient en terrasses jusqu'au bord de la mer.

Sou-tcheou avait soixante milles de tour. Elle faisait penser à Venise par le nombre de ses canaux et de ses palais. Ses ponts en forme d'arches ogivales ou cintrées, grâce à leur hauteur, pouvaient laisser passage à des navires de fortes dimensions. Chaque trimestre, la ville expédiait à Koubilaï, en guise de tribut, quinze jonques impériales chargées de richesses. On prétendait que les plus belles femmes de l'Empire étaient nées à Sou-tcheou.

Mais la perle du Manzi, la « Cité du Ciel », avait pour nom Hang-tcheou. Elle était entièrement construite sur l'eau. On lui accordait cent milles de tour, douze portes monumentales, douze mille ponts, trois mille bains publics, douze métiers corporatifs nourrissant chacun douze mille familles, cent soixante avenues, cent soixante tours de feu, trente mille soldats de garde, seize cent mille habitations, dix immenses marchés fréquentés, chaque semaine, par quinze cent mille personnes, une quantité invraisemblable de bateleurs, d'acteurs, de danseurs, de chanteurs, d'acrobates, de musiciens, d'invertis, de courtisanes, de ballerines, de magiciens, de médecins, d'astrologues. Koubilaï recevait de Hang-tcheou, chaque année, deux cent quatre-vingt-dix tomans; le toman valait quatre-vingt mille sequins d'or.

Un lac circulaire de trente milles, bordé de palais et de villas, baignait le centre de la ville. Au milieu du lac se trouvaient deux îles où s'élevaient des palais municipaux, qui servaient aux noces, banquets et réjouissances des familles, et dont l'usage était gratuit.

Les gens, vêtus de soie, étaient de mœurs douces et paisibles. Chaque maison affichait sur sa façade extérieure une tablette de bois sur laquelle étaient inscrits les noms du propriétaire, de ses femmes, de ses enfants, de ses invités, de ses concubines, de ses serviteurs, de ses esclaves; au départ ou à la mort d'un des occupants, on rayait immédiatement le nom; les naissances et les arrivées étaient marquées sans délai. A la naissance d'un enfant, les parents notaient aussitôt le jour, l'heure et la minute de sa venue au monde, puis ils faisaient établir par les astrologues le signe correspondant du zodiaque, qu'ils conservaient avec soin. Plus tard, parvenu à l'âge adulte, l'enfant, toutes les fois qu'il avait à prendre une décision grave, faisait interpréter ce document chez le devin.

Le Frère Odoric écrivait: « Qui de cette cité voudrait écrire, il en emplirait un grand livre, mais, bref, c'est la plus grande qui soit au monde et la plus noble. »

* * *

Cependant les années passaient. Déjà Nicolas et Matteo Polo avaient souvent exprimé à Koubilaï le désir de retourner dans leur pays. Ils se sentaient vieillir, voulaient revoir l'Occident, Venise. Koubilaï souriait, refusait. Comment pourrait-il se séparer de si chers amis, de si précieux conseillers ! Il avait consulté ses astrologues, qui lui donnaient raison. Plus tard, oui, plus tard, quand les augures se montreraient favorables... Et Koubilaï les couvrait de nouvelles richesses.

Les Polo revinrent à la charge. Et leur mission ! Ne fallait-il point qu'ils en rendissent enfin compte à Rome ? Combien de papes déjà, depuis la mort de Grégoire de Plaisance, s'étaient-ils succédé sur le trône de Pierre ? Ils en firent l'énumération: le dominicain Pierre de Tarentaine (Innocent V), disciple de Thomas d'Aquin et célèbre docteur en théologie; le Génois Ottoboni de Fieschi (Adrien V), neveu d'Innocent IV, mort après trente-six jours de souveraineté; Pierre Juliana (Jean XXI), médecin, philosophe, un des esprits les plus brillants de l'époque, tué sous les décombres du palais de Viterbe; le patricien Jean Orsini (Nicolas III); le français Simon de Brie (Martin IV); et le pape actuel, Jacques Savelli (Honorius IV), qui soutenait le parti français contre l'avide maison d'Aragon !

N'était-il point temps qu'ils retournent ? Et le Grand Seigneur avait-il oublié les promesses qu'il leur avait faites lors de leur premier voyage à la Chine ? Avait-il oublié qu'il s'était engagé à étudier la loi du Christ ? Eux n'avaient-ils pas rapporté de la très sainte ville de Jérusalem l'ampoule contenant l'huile sacrée ? Toujours souriant, Koubilaï leur répondit:

« Comment voulez-vous que je me fasse chrétien ? Vous voyez que les Chrétiens (Chrétiens nestoriens) qui se trouvent dans ces pays sont tellement ignorants qu'ils n'arrivent à rien, tandis que les idolâtres font tout ce qui leur plaît, à tel point que, quand je suis assis à table, les coupes viennent à moi du milieu de la salle, pleines de vins, de liqueur ou d'autre chose, sans que personne n'y touche, et je n'ai qu'à y boire. Ils arrêtent le mauvais temps et le font diriger du côté qu'ils veulent; ils font beaucoup de choses merveilleuses et, comme vous savez, leurs idoles parlent et leur prédisent sur tous les sujets qu'ils leur soumettent. Mais si je me convertis à la foi du Christ, et deviens chrétien, alors mes barons et autres gens qui ne la connaissent pas me diront: Quel motif vous a poussé à être baptisé et à pratiquer la foi chrétienne ? Quels miracles, quelles vertus en avez-vous vus ? »

Et puis:

— Ai-je reçu les cent docteurs que j'avais réclamés à l'Apostole ? Ils eussent pu confondre les idolâtres, leur reprocher toutes leurs pratiques, leur dire qu'eux-mêmes, s'ils voulaient, sauraient bien en faire autant; qu'ils ne veulent pas faire choses pareilles parce que toutes sont accomplies par l'art diabolique ou par d'autres esprits mauvais; ils eussent pu réfuter tellement ces idolâtres que ces derniers eussent été dans l'impossibilité de rien accomplir en leur présence. Alors quand nous aurions été témoins de cela, nous les eussions proscrits, eux et leur religion, j'aurais reçu le baptême, tous mes barons l'eussent reçu de même, et aussi tous ceux qui leur obéissent, de sorte que finalement il y aurait eu plus de chrétiens ici qu'il ne s'en trouve dans vos pays. »

Et Koubilaï les congédia avec des présents. Ils étaient prisonniers. Il leur faudrait attendre, pour se libérer, la mort du despote.

Marco naviguait alors le long du littoral de l'Inde. Il vit à son retour le Grand-Khan, plaida pour ses aînés. Il était juste que ces deux hommes approchant de la vieillesse pussent revoir leur patrie. D'ailleurs lui-même, Marco, malgré les regrets certains que lui causerait son départ, ne nourrissait pas d'autre vœu. Koubilaï fut inflexible. Plus tard. En ce moment, il avait précisément besoin d'un homme de confiance à Yang-tcheou, ville dont il projetait de faire le centre principal du Manzi pour la fabrication des armes et de tout ce qui concernait les équipements de guerre. Marco Polo dut se rendre à Yang-tcheou avec le titre de vice-roi de la province.

* * *

Il fut rappelé trois ans plus tard du Manzi par l'Empereur. Bolgara, femme d'Argoun, roi de Perse et petit-fils de Houlagou, était morte l'année précédente. Argoun avait dépêché trois de ses barons auprès de Koubilaï afin qu'ils lui ramènent une nouvelle femme, qui fût de sang impérial. Une jeune fille de dix-sept ans, du nom de Cogatra, fut choisie. Elle était mince, frêle, longue, et d'une merveilleuse beauté. On l'appelait « le Lotus blanc ».

Les barons furent d'opinion (Nicolas et Matteo Polo étaient-ils étrangers à ce sentiment ?) qu'il était impossible que l'on exposât une créature aussi délicate aux fatigues terribles, aux dangers multiples d'une interminable randonnée à travers l'Asie. Il y avait le froid, la chaleur, la faim, la soif, les fièvres, le désert, la montagne, les brigands, les guerres. Et malgré que le voyage sur mer comportât de grands périls, du moins les forces de la princesse, et son honneur, ne risquaient point d'être perdus. Un homme d'expérience comme le latin Marco Polo, qui connaissait les côtes de l'Inde et de la Chine, saurait choisir de bons capitaines, des équipages sûrs, et conduire à bon port la précieuse ambassade. Les trois Polo furent nommés protecteurs officiels de Cogatra et chargés de la remettre entre les mains du roi Argoun.

On gréa treize jonques impériales. Toutes avaient quatre mâts; certaines pouvaient déployer jusqu'à douze grandes voiles. Les voyageurs s'embarquèrent à Ts'iuen-tcheou. Ils emportaient avec eux tous leurs trésors.

CHAPITRE XVI

Ils naviguaient cap au sud-ouest. Les côtes du Manzi se succédaient, bleues, mauves, et la mer Océane gardait la couleur ocre de l'embouchure des fleuves. Après des semaines de course, un golfe fut atteint, large comme une mer ouverte, semé d'îles peuplées, montagneuses, riches en ambre et en perles, et dont les plages livraient des paillettes d'or. Le golfe franchi, les voyageurs abordèrent le Cyamba.

Le Cyamba était gouverné par un vieux roi patriarche qui avait trois cent vingt-six enfants. Nulle femme de son pays ne pouvait se marier avant qu'elle n'eût comparu devant lui; si elle lui plaisait, il la gardait comme épouse; dans le cas contraire, il lui donnait une dot, et la renvoyait à son fiancé. Le pays produisait des oranges, des mandarines, des pamplemousses, des bananes, des pastèques, des ananas, des goyaves, des avocats, des papayes, des mangues, des mangoustes. Il était tributaire du Grand-Khan. Dix ans plus tôt, So-Tou, général de Koubilaï, avait envahi le royaume et menacé la capitale du vieux roi. Celui-ci ne disposant pas de troupes suffisantes pour tenter de se défendre avec quelques chances de succès, avait tout de suite dépêché à l'Empereur un envoyé qui lui dit: « Notre Seigneur le Roi de Cyamba te salue comme son Seigneur-lige et te fait savoir qu'il est d'un âge avancé et que longtemps il a tenu son royaume en paix. Il te mande par nous qu'il veut être ton Homme-lige et te donnera, tous les ans, des éléphants en tribut autant qu'il te plaira. Il te prie humblement et s'adresse à ta pitié pour que tu mandes, à ton baron et à ses gens de ne plus ravager son royaume et de quitter sa terre laquelle sera, dorénavant, sous ton commandement comme la Tienne, notre Roi le tenant de toi. »

La pitié touchait parfois Koubilaï. Il fit répondre au patriarche qu'il acceptait sa prière et ses hommages, et qu'il pouvait compter désormais sur son entière protection. Il ordonnait en même temps à So-Tou de quitter le royaume, et d'aller à la conquête de « quelque autre pays ». Et depuis lors, chaque année, le vieux roi expédiait à l'Empereur des cargaisons d'ivoire, de fruits, de bois d'aloès, et les vingt plus beaux éléphants du Cyamba.

* * *

Longeant toujours les côtes, ils atteignirent une longue presqu'île nommée Grande-Java (Cochinchine). Des marchands de l'Inde et du Manzi venaient y trafiquer. On y trouvait des gisements d'or, et toutes les épices. Les indigènes professaient la foi de Bouddha, parlaient la langue khmère. Leur roi ne reconnaissait aucune suzeraineté.

Plus loin, ils rencontrèrent les îles Sandur, Condur, qui paraissaient inhabitées, et mouillèrent à Soucat, sur la terre ferme, royaume riche en or, en gibier, en bois précieux. De Soucat, qui s'étendait sur une grande longueur de côtes, ils piquèrent droit au sud, gagnèrent le large, naviguèrent cinq cents milles, doublèrent l'île de Lochac, couverte de bois odoriférants, s'engagèrent dans un détroit aux eaux basses, dangereuses, pleines de pièges, d'une couleur changeante d'émeraude, et virent surgir et trembler, dans une lumière trop blanche, les hauts palmiers de Maliur. L'île de Maliur, ou Singapour, gouvernée par un monarque absolu, possédait deux villes rivales qui se faisaient des guerres acharnées. Ses plages étaient infestées de requins. Ils continuèrent de naviguer vers le sud, et aperçurent de nouvelles terres qu'ils longèrent durant des jours, les serrant au plus près, des vents debout s'étant élevés qui gênaient davantage une course devenue pénible par la violence des courants. La mousson commençait. Polo découvrit une baie profonde, bien abritée, où il décida de séjourner en attendant le retour de la saison favorable. L'étoile polaire avait disparu.

* * *

La région était couverte d'une sombre et dense forêt. Une mince plage de sable courait au pied de la falaise. On voyait au loin de hautes montagnes. Polo fit descendre ses équipages et fit établir un campement autour duquel un large fossé fut creusé, flanqué de redoutes et de petites tours de bois. On disait les indigènes cannibales. Ils les virent bientôt, d'abord craintifs, puis peu à peu familiarisés, et ils traitèrent avec eux pour les vivres.

L'île était divisée en huit royaumes. On la nommait Java la Mineure. Le royaume où Polo avait établi son camp s'appelait Samudra. Ses indigènes se nourrissaient de riz, de poisson, de gibier, de dattes, de figues, de noix de coco. Ils se marquaient le visage au fer rouge. Ils adoraient les idoles.

Polo entreprit de faire la visite des royaumes. A la pointe orientale de l'île se trouvait le Parlak, où, dans les villes, on suivait la loi de Mahomet. Les montagnards avaient pour coutume d'adorer tout le jour le premier objet qui avait, à leur réveil frappé leurs yeux. Ils mangeaient la chair des ennemis tués au combat.

Les habitants du royaume de Pasey parlaient un langage particulier et ne pratiquaient aucun culte. Ils dressaient des vautours pour la chasse. Ils s'enfonçaient pour des mois au fond de régions marécageuses, où ils tuaient, avec des flèches empoisonnées, d'énormes sangliers, des hippopotames, des rhinocéros. Des marchands de l'Arabie et de l'Inde fréquentaient ses côtes depuis longtemps, venaient y chercher des bois précieux, de l'ivoire. Ils en avaient rapporté aussi de petits êtres empaillés, munis d'une longue queue, qui avaient été exhibés plus tard dans les cours européennes, et que l'on avait fait passer pour des hommes-nains: « Et je vous affirme que quand on apporte chez nous de petits hommes en disant qu'ils viennent de l'Inde, c'est grand mensonge, car ils n'en sont pas du tout. Mais ce sont des petits singes qu'on trouve en cette île et je vais vous dire comment on les prépare: il y a en effet une sorte de singes qui sont très petits et ont le visage semblable à celui de l'homme. On les prend et on les épile complètement sauf qu'on leur laisse du poil au menton; puis on les laisse sécher, on les empaille et on les prépare avec du safran et d'autres choses jusqu'à ce qu'il semble qu'ils soient des hommes. Mais ce n'est qu'une tromperie, car dans toute l'Inde, non plus qu'en d'autres pays plus sauvages, on ne vit jamais des hommes pareils. »

Au royaume d'Angrinan, les indigènes tuaient leurs malades, les faisaient cuire, les dévoraient et suçaient la moelle de leurs os jusqu'à la dernière parcelle, prétendant que s'ils en laissaient la moindre substance, des vers seraient engendrés, qui mourraient ensuite d'inanition, mort dont on tiendrait responsable l'âme des victimes.

Polo parcourut encore les royaumes d'Achem et de Fansour. Dans le premier vivaient des hommes velus comme des loups, parlant un langage inarticulé, qui se nourrissaient de singes et de serpents. Ils évitaient tout contact avec les insulaires de la côte. On les considérait comme des bêtes dangereuses. On trou-vait au Fansour un arbre dont le bois possédait la résistance et la dureté du fer; il atteignait parfois trois mètres de circonférence; son intérieur contenait une sorte de farine propre à faire le pain.

Deux autres royaumes étaient situés à l'extrémité méridionale de Java, que Polo n'eut point le temps de visiter. Cinq mois s'étaient écoulés depuis son arrivée de la grande île. Des vents favorables avaient remplacé la dangereuse mousson. La flottille reprit la mer, se dirigeant vers le nord-ouest.

* * *

A cent cinquante milles de Java la Mineure, ils rencontrèrent deux îles volcaniques du nom de Gavenispola et de Necouran.

Elles étaient habitées par des indigènes de petite taille vivant nus, qui ne se reconnaissaient pas de chefs, et qui pillaient les rares navires croisant dans ses parages. Poursuivant leur route dans la même direction, ils atteignirent l'île d'Andaman, au climat chaud, malsain, couverte de jungles inabordables coupées de marais infectés de fièvres mortelles. Les naturels se montraient d'une laideur repoussante. Ils avaient le torse épais et court, les jambes arquées, de longs bras velus, les yeux bigles, les dents saillantes, une peau huileuse et grise. Ils étaient cannibales. Ils ne riaient jamais. On les disait doués d'une grande force. Les Chinois prétendaient qu'il y avait à l'intérieur de l'île des tribus d'Hommes-Chiens qui vivaient dans des grottes souterraines, s'exprimaient en aboyant, engendraient des enfants mâles qui étaient stupides et monstrueux, et des femelles qui, douées de raison, conservaient à la race un aspect humain.

Ils naviguèrent encore mille milles et abordèrent les côtes de Carnatic, dans l'Inde.

Le Carnatic était partagé en cinq royaumes gouvernés par cinq frères qui portaient la couronne et régnaient souverainement. Le plus riche et le plus puissant des cinq rois se nommait Sonder Bandi Davar. « Il portait tout autour du cou un collier qui est tout garni de pierres précieuses: ce sont rubis, saphirs, émeraudes et autres pierres, de sorte que ce collier vaut un grand trésor. Il a encore, sur la poitrine, depuis le col jusqu'en bas, un mince cordon de soie auquel sont enfilées cent quatre grosses perles, ainsi que plusieurs rubis. Le motif pour lequel, disent-ils, le roi porte ce cordon avec cent quatre grosses perles et des rubis, est qu'il doit réciter tous les jours cent quatre oraisons à ses idoles. Car ainsi est leur religion et leur coutume; et ainsi firent tous les rois ses ancêtres; c'est pourquoi ils lui laissèrent ce chapelet pour qu'il pût faire de même. » Sonder était querelleur, violent, sensuel. Son harem comptait cent femmes. Son frère ayant épousé une jeune fille d'une grande beauté, il l'enleva et voulut la garder captive dans son palais. Le prince outragé accourut, se précipita sur le ravisseur. Leur vieille mère, se jeta entre eux, les sépara, puis brandissant un poignard et déchirant ses vêtements, s'écria: « Mes fils, si vous voulez vous déshonorer en vous livrant à des hostilités l'un contre l'autre, je retranche aussitôt de

147

mon corps ces seins qui vous ont nourris, et je lacère de blessures mortelles ce ventre qui vous a portés ! »

Les habitants de Carnatic se nourrissaient de riz, de fruits et de légumes. Leur religion leur défendait de tuer tout animal. Ils ne touchaient ni au vin, ni à aucune boisson fermentée. Ils ne tenaient pas la luxure pour une faute. Ils méprisaient les hommes de mer, qui passaient pour être voués au désespoir, et les juges n'acceptaient pas leur cautionnement. La loi était expéditive. Tout délit recevait immédiatement son châtiment. Les relations entre le créancier et son débiteur comportaient une règle étrange: après avoir à trois reprises, et sans succès, réclamé son dû, le créancier tentait par quelque ruse d'approcher son débiteur et traçait alors un cercle autour de lui; celui-ci devait payer sa dette avant de sortir de ce cercle, ou mourir.

Ils vénéraient nombre d'idoles. Parmi elles, le bœuf était le plus sacré. Ils le gavaient de nourritures délicates jusqu'à ce qu'il meure de vieillesse; ils avaient alors le droit de manger sa chair. De jeunes vierges, dirigées par des moines, étaient commises à la garde des divinités. Dans les fêtes, elles chantaient et dansaient, afin de réconcilier par leur grâce les principes mâles et femelles des idoles, toujours en conflit, ce dont souffraient les humains. Ils brûlaient leurs morts sur des bûchers. La veuve qui désirait donner les preuves de l'amour éprouvé pour son mari se parait de ses plus riches vêtements, réunissait ses parents et ses connaissances et après avoir pleuré et gémi, se précipitait dans les flammes. Ils observaient avec attention le vol des oiseaux, en tiraient de bons ou de mauvais augures. Certains jours étaient fastes pour les uns, néfastes pour les autres. La main droite était réservée aux emplois dignes et propres; la gauche, aux offices grossiers, et tout aliment touché par elle devenait impur et devait être jeté.

On prétendait que les restes de saint Thomas l'Apôtre reposaient près de Madras, dans une petite ville de Carnatic nommée Méliapour, où il s'était retiré après avoir évangélisé la Lybie et la côte occidentale de l'Inde, et où il avait subi le martyre. L'herbe qui croissait sur le lieu de sa sépulture guérissait les fièvres malignes. Les Sarrasins réclamaient le Saint comme un de leurs prophètes.

Voisine de Carnatic, la province de Mysore fournissait les Brahmanes, qui réglementaient les cultes de l'Inde tout entière. Parmi eux, les Gioghis se faisaient remarquer par une exceptionnelle austérité. Ils vivaient complètement nus, ne tuaient aucun être qui fût vivant, ni puces, ni moucherons, ne mangeaient aucun légume vert, jeûnaient tous les jours, couchaient sur le sol sans couverture, et parvenaient à une longévité remarquable qu'ils attribuaient aux prières, à l'abstinence, et à l'absorption d'un élixir conjuguant les deux principes, composé de soufre et de mercure: celui-là le père des métaux, celui-ci la mère de toute vie.

CHAPITRE XVII

En quittant les côtes de Carnatic, les voyageurs naviguèrent sur les eaux vertes d'un golfe peu profond, fréquenté par des pêcheurs de nacre et de perles, et abordèrent Ceylan, l'île éblouissante de la Haute-Montagne. Nul climat ne pouvait rivaliser avec celui de Ceylan. Une prodigieuse végétation, jaillissant d'un sol ardent et rouge, baignait dans une lumière d'or incomparable. Les indigènes, de mœurs paisibles, étaient doués d'une grande beauté; ils vivaient libres, nus, ignoraient l'ambition, la haine, les rivalités, les guerres. Leur roi s'appelait Sender-naz, nom qui signifiait « disparition de la lune ». Il possédait un merveilleux rubis, légué par ses ancêtres, et dont l'Egyptien Cosmas, au VIe siècle, faisait déjà la description: « on voit un rubis très brillant et aussi gros qu'une pomme de pin; lorsque le soleil darde sur lui ses rayons, il brille au loin et jette un éclat extraordinaire. » L'île produisait de l'or, des saphirs, des topazes, des améthystes.

Une montagne sacrée se dressait au centre de Ceylan. Les Cyngalais qui pratiquaient la religion de Bouddha prétendaient que Câkya-mouni était né et mort dans l'île. Ils racon-

taient que, fils de roi souverain, il avait vécu son enfance et
sa première jeunesse dans un palais fabuleux, parmi les plaisirs
et les délices de toutes sortes, et que l'on avait soigneusement
écarté de sa vue toute image qui eût pu lui dévoiler les laideurs
de la vie, ou même blesser la beauté. A l'âge de seize ans, on
lui avait donné comme femme la belle princesse Yosodhara, fille
du roi de Koli. Or, un jour, malgré les défenses paternelles, il
s'était aventuré au-delà du parc royal, et il aperçut, courbé sur
un bâton, un vieillard tout décrépit qui s'avançait sur la route
en tremblant. Il demanda à son officier quel était cet être
étrange. « Mais c'est un vieillard ! » lui répondit-il.

— A-t-il toujours été ainsi ?

— Mais il a été jeune comme nous le sommes !

— Se peut-il alors que je devienne un jour semblable à ce
vieillard ?

— Hélas ! Tous les êtres sont soumis à la même loi !

Ce soir-là, le jeune prince ne put dormir. Le lendemain, re-
faisant la même promenade, et s'étant éloigné davantage, il vit
un lépreux, et plus loin encore, un cadavre en décomposition; le
troisième jour, il vit un ermite dont les traits montraient la plus
grande sérénité. « Toi, lui demanda-t-il, ne connais-tu pas la
mort, et la connaissant, ne la crains-tu pas ? » Le saint homme
lui répondit: « Je vis dans un monde qui ne connaît pas la
mort ! »

A son retour, le prince informa son père de son intention
d'abandonner tous ces plaisirs trompeurs et fugitifs, et de se
livrer à la vie ascétique. Comme le roi tentait de l'en dissuader,
il s'enfuit la nuit même, gagna la terre ferme de l'Inde, vécut
parmi les Brahmanes, et ne trouvant pas chez eux la perfection
qu'il désirait atteindre, revint à Ceylan, s'enfonça dans la Montagne où il s'enferma dans une solitude absolue. A sa mort
d'homme, il ressuscita pour devenir bœuf; il mourut encore
pour devenir cheval, et mourut ainsi et ressuscita successivement, dans des créatures différentes, quatre-vingt-quatre fois. Sa
dernière mort le fit dieu.

Les Cynghalais qui observaient la loi de Mahomet soutenaient de leur côté qu'Adam, après le péché, avait été jeté dans

l'île, sur la Haute Montagne, qu'ils appelaient le Pic d'Adam. On le disait de taille gigantesque; on faisait voir aux pèlerins une empreinte de son pied gauche, moulée dans le roc, qui mesurait soixante-dix coudées de long. Son sépulcre était situé sur le plus haut sommet de l'île; on y conservait ses cheveux et ses dents.

De Ceylan les voyageurs, après avoir doublé le Cap Comorin, où ils virent, au ras de l'horizon, trembler l'étoile polaire, touchèrent le royaume de Quilon, pays du poivre, du gingembre, de l'indigo, des panthères noires, des perroquets blancs, des paons géants, des singes bleus, du vin de palme, et d'une chaleur si intense que l'on cuisait les œufs dans l'eau des rivières. Ils longèrent ensuite les côtes de Malabar. Les vents étaient lourds, chauds, et la mer balançaient de longues houles que les nuits revêtaient d'une extraordinaire luminosité. Les capitaines naviguaient par le large. Ils savaient que dans chaque échancrure de la côte, dans chaque baie, au détour de chaque presqu'île, sous le couvert de chaque îlot se cachait un pirate prêt à bondir sur toute voile que la fantaisie des vents abandonnerait. Ces pirates se rassemblaient sur un point fixe de la côte par vingt ou trente bateaux, s'échelonnaient ensuite sur une distance de cinq ou six milles, formant un long cordon couvrant la mer. Ils correspondaient entre eux par les signaux du feu; dès qu'une voile était signalée, ils s'élançaient tous à sa poursuite, la traquaient, la cernaient, la poussaient enfin sur quelque récif.

Le royaume de Camacore fut atteint. Ils mouillèrent dans un vaste estuaire sans oser s'aventurer sur les côtes, par crainte encore des pirates. Ce fut ensuite l'île de Bombay. Elle était gouvernée par un roi pillard et très riche. Féru de chevaux, il s'était abouché avec les pirates de son royaume, qui pouvaient attaquer et piller les navires de passage sans craindre aucune sanction, pourvu qu'ils lui remissent comme butin les bêtes capturées.

* * *

Ils longèrent d'autres royaumes: le Cambay, grand centre de commerce, où l'on ouvrait magnifiquement les cuirs; le Som-

math, célèbre pour la beauté de ses temples; le Goudjerat, autre
pays de pirates, qui faisaient boire à leurs victimes de violents
purgatifs, ayant constaté que « quand les marchands se voient
sur le point d'être pris, ils avalent leurs perles et pierreries de
grande valeur »; le Mekran, qui séparait l'Inde de la Perse.

Les géns de Mekran affirmaient l'existence, à cinq cents
milles vers le sud, des îles Mâle et Femelle, habitées respec-
tivement par des hommes et des femmes. Il était défendu aux
hommes d'aborder l'île Femelle, sauf pendant la période du
printemps. Les enfants mâles étaient ramenés chez les hommes
dès qu'ils avaient quitté le sein. Cependant certains niaient qu'il
y eût une île Mâle. Ils racontaient que les femmes de l'île Femelle vivaient dans un complet isolement, et qu'elles étaient fé-
condées par l'action de la mer, ou par la force des vents, ou
en mangeant un certain fruit, ou encore en regardant le reflet
de leur visage dans l'eau d'une fontaine.

A cinq cents milles des deux îles, toujours dans la direction
du sud (et toujours au dire des gens de Mekran) on rencontrait
la grande île de Socotora. Ses habitants vivaient de l'ambre gris
qu'ils retiraient du ventre des baleines. Ils se disaient soumis à
l'archevêque des chrétiens nestoriens à Bagdad. Leurs prêtres se
mariaient. Ils étaient passés maîtres dans l'art de la magie, voi-
laient le soleil, suspendaient le vol des oiseaux, tarissaient les
sources, faisaient tourner les vents, s'entretenaient avec les astres,
créaient chaque mois une lune nouvelle qu'ils découpaient en
croissants dont ils se nourrissaient, la nuit, dans des cavernes
secrètes.

A mille milles de Socotora se trouvait, vaste comme un continent, la noire Madagascar. Quatre vieillards gouvernaient l'île.
On y trouvait des ours, des tigres, des léopards, des girafes, des
hippopotames. Les indigènes mangeaient la chair du chameau.
Koubilaï avait envoyé là des ambassadeurs qui lui avaient rapporté deux défenses de sangliers pesant chacune quatorze livres.
On y voyait parfois un oiseau gigantesque, le Rock, fait comme
l'aigle, et doué d'une force telle qu'il pouvait enlever un élé-
phant entre ses serres; il habitait des îles de l'extrême sud; des
navigateurs qui avaient tenté de rejoindre ces îles n'étaient ja-

mais revenus. On disait qu'ils avaient été entraînés par de vertigineux courants dans le Gouffre sans fond.

Sur la côte d'Afrique, au nord-ouest de Madagascar, on doublait l'île de Zanzibar. Ses indigènes trafiquaient l'ivoire, l'or, vivaient dans des guerres continuelles qu'ils faisaient à dos d'éléphants; avant le combat, ils enivraient leurs bêtes afin qu'elles pussent charger avec plus de fureur.

En remontant vers le nord, on atteignait « l'Inde moyenne », séparée par le détroit de Bab-el-mandeb, qui comprenait d'un côté le royaume d'Abyssinie, de l'autre celui d'Aden. Les deux royaumes étaient mortels ennemis. Chrétiens évangélisés jadis par Thomas l'Apôtre, les Abyssins, pour se distinguer des infidèles, portaient au visage trois signes dont on les marquait, par le fer rouge, dès qu'ils recevaient le baptême. Leur roi prétendait que le sang de la reine de Saba coulait dans ses veines. Les gens d'Aden étaient musulmans. Ils possédaient un port immense fréquenté par les bateaux d'Asie qui venaient y décharger les épices. On embarquait ensuite ces marchandises sur des voiliers, pour la traversée de la mer Rouge, et on les transportait à dos de chameaux, sur un chemin de trente journées, jusqu'au Nil; de là, les bateaux plats du fleuve les conduisaient à Alexandrie. Le Sultan d'Aden, fort riche, tirait ses revenus des droits exorbitants qu'il prélevait sur ce transit obligatoire. Son royaume produisait aussi du corail, de l'ambre et de l'or.

A la suite d'un grave outrage subi par un évêque d'Abyssinie qui avait été capturé par les cavaliers du Sultan, les Abyssins franchirent le détroit, envahirent le royaume et le ravagèrent. L'expédition punitive dura un mois. « Les Sarrasins avaient été occis en tel nombre, leur terre avait été tellement ravagée et ruinée, que ce fut une très grande merveille. Et c'était bien fait, car il ne serait pas digne chose que les chiens de Sarrasins l'emportassent sur les Chrétiens, qui sont bons. »

Du Mekran, après une longue escale, la flottille franchit le golfe d'Oman et atteignit Ormuz. Elle avait quitté la Chine depuis trente mois. A Ormuz, la belle Cogatra apprit la mort du roi Argoun, son fiancé.

CHAPITRE XVIII

La destinée d'Argoun avait été singulière. Dès la mort de Houlagou, Abaka, père d'Argoun, s'était vu à la tête d'un royaume menacé de toutes parts par des parents ambitieux, par de puissants rivaux. Tout près de lui, chez lui, à la Cour, ses frères Ahmed et Kaïkhatou complotaient, intriguaient, entretenaient des factions, brûlaient de convoitises, de haines. Au dehors, un prince rebelle, petit-fils d'Ogotaï, Kaïdou, qui régnait sur les territoires avoisinant l'Amou-Daria, menaçait sans cesse la Perse. Il habitait Samarkand. Il harcelait Koubilaï, à qui il avait livré des batailles retentissantes, empiétait sur les domaines d'Abaka. Il vivait pour la guerre, en vrai Mongol, et méprisait ses cousins dont le sang, disait-il s'était appauvri, décoloré, dilué dans l'abus des richesses et des jouissances. Il avait une fort belle fille, du nom d'Agianit — lune qui luit —, douée d'une force et d'une bravoure extraordinaires. Kaïdou souhaitait son mariage avec des princes voisins. Mais elle avait repoussé tous ces projets d'alliance en déclarant qu'elle ne consentirait à épouser que celui qui la vaincrait dans les épreuves d'adresse et de force. Elle avait terrassé tous ses prétendants, et comme ceux-ci avaient dû mettre de grosses sommes en enjeu, elle était devenue très riche, possédait d'immenses troupeaux. Elle excellait à la guerre, prenait part à toutes les campagnes de Kaïdou. « Quelquefois elle partait de l'armée de son père, allait en l'armée des ennemis, prenait un homme par force aussi légèrement qu'un faucon fond sur un oiseau et l'apportait à son père. »

Kaïdou ayant envahi la région de l'Arbre Sec, comprise dans le royaume d'Abaka, celui-ci envoya son fils Argoun, à la tête d'une nombreuse armée, pour le combattre. La rencontre fut terrible. Argoun faisait des prodiges de valeur, électrisait ses troupes, galopait d'un point à un autre, se montrant partout où le danger paraissait le plus menaçant. Au fort de la mêlée, il vit soudain surgir devant lui, belle de la beauté des Furies, les cheveux au vent, les yeux pleins de feu, droite sur ses étriers, la lance dressée, Agianit. Elle s'était juré de s'emparer d'Argoun. Celui-ci, selon la loi du Iassa, ne pouvait répandre le sang de Genghis-Khan. Il abaissa son sabre, courba la tête, piqua son étalon, l'enleva, le précipita sur la bête d'Agianit qui chancela sous le choc et désarçonna la cavalière. Kaïdou fut vaincu. Agianit épousa plus tard un petit prince persan qui jouait de la cithare, composait des vers, se fardait la bouche et la tyrannisait outrageusement.

Argoun célébrait son triomphe quand un messager vint lui annoncer la mort d'Abaka, tué par le poison. Il rassembla ses troupes, courut, par étapes forcées, vers la capitale, qui se trouvait à quarante jours de l'Arbre Sec. Pendant ce temps Ahmed, qui avait soudoyé les hauts fonctionnaires, les ministres, les princes en leur distribuant des richesses et en leur promettant tous les profits du pouvoir, et l'exercice même du pouvoir, s'ils lui donnaient le titre de roi, parvenait à se faire couronner. Il lança son armée contre Argoun, le vainquit, le fit jeter dans la basse-fosse d'une forteresse.

De longs mois passèrent. L'usurpateur vivait dans une sombre débauche. Ses ministres accablaient le royaume d'impôts exorbitants, de lois abusives. Argoun eut des amis, trompa la vigilance de ses gardes, souleva le peuple, gagna la Cour, tua Ahmed et ceignit la couronne qui lui revenait de droit.

Il régnait depuis six ans quand se produisit cette étrange répétition d'événements. Là-bas, du côté de l'Arbre Sec, Kaïdou envahissait de nouveau le royaume. Argoun avait un fils, Gazan, qui partit pour le repousser. La guerre s'engagea, se fit longue, difficile, Kaïdou, devenu prudent, ménageant ses forces, se dérobait à tout combat décisif. Gazan apprit alors la mort d'Argoun, empoisonné lui aussi, et la prise du trône par Kaïkhatou, père d'Ahmed. Il lui fallait continuer la guerre, la gagner. Deux ans s'étaient écoulés depuis son départ. Kaïkhatou avait été renversé par son fils Baïdou. Gazan revint, battit Baïdou. Il commençait à peine de régner lorsque Cogatra, la douce fiancée-veuve, accompagnée des Polo, se présenta à la Cour. Gazan, dès qu'il la vit, l'aima. Il la faisait reine dix jours plus tard.

* * *

Les Polo virent Constantinople en proie à la plus fiévreuse agitation. Débordé de toutes parts, Andronic II l'Ancien, successeur de Michel Paléologue, luttait de toutes ses forces pour sauver les débris de ce qui avait été l'éblouissant empire de Byzance. « Les affaires d'Orient tombaient de jour en jour en plus mauvais état, et la dernière nouvelle que l'Empereur en recevait était toujours plus fâcheuse que la précédente. Ce n'était pas seulement des bruits éloignés qui frappaient nos oreilles, l'image des maux était présente à nos yeux. Il n'y avait qu'un détroit qui nous séparât de ces cruels ennemis qui faisaient un épouvantable dégât, et qui se divertissaient des captivités les plus déplorables et des meurtres les plus horribles. Ils ruinèrent entièrement tout ce qui est au-dessus de la Bithynie, de la Mysie, de la Phrygie et de la Lydie. C'étaient les Arméniens, les Alioyriens, les Mantachiens, les Salampaxides, les Alaïdes, les Amiramanes, les Lamises, les Sfondyles, les Pogdines, et d'autres exécrables peuples qui consumaient nos terres comme un feu dévorant dont à peine le progrès peut être arrêté par la mer... Les avis que l'Empereur recevait de ces désordres étaient si pressants, qu'il n'avait pas un moment pour songer aux moyens d'y apporter du remède. Il n'avait point de troupes pour opposer au débordement de ces effroyables nations. »

Ils apprirent les nouvelles de Rome. Depuis la mort du pape Honorius IV, il y avait eu Jérôme d'Ascali (Nicolas IV), général des Frères Mineurs, et Pierre de Moron (Célestin V) qui vivait dans une cellule froide et nue, et qui avait abdiqué cinq mois après avoir coiffé la tiare. Aujourd'hui régnait, énergique et bouillant, Boniface VIII.

Ils apprirent aussi à Constantinople la mort de Koubilaï.

Marco Polo: « Il faut que chacun tienne pour vrai et certain que c'est le plus puissant Seigneur de gens, de terres et de trésors qui jamais fût au monde depuis le temps d'Adam, notre premier père, jusqu'à aujourd'hui. »

Un auteur chinois: « Koubilaï-Khan doit être considéré comme un des plus grands princes qui aient existé et dont les succès aient été plus constants. Il les dut au talent qu'il avait de connaître ses officiers et de les commander. Il porta ses armes dans les contrées les plus éloignées, et rendit son nom si formidable que plusieurs peuples vinrent d'eux-mêmes se soumettre à son empire; aussi n'y en a-t-il jamais eu de si vaste étendue. Il cultivait les lettres, protégeait ceux qui en faisaient profession, et recevait même avec reconnaissance les conseils qu'ils lui donnaient... Il aimait véritablement ses peuples, et s'ils ne furent pas toujours heureux sous son règne, c'est qu'on avait soin de lui cacher ce qu'ils souffraient... »

Le persan Wassaf: « Bien que depuis les frontières de notre pays jusqu'au centre de l'empire Mongol, le foyer de l'univers, le séjour vivifiant de l'Empereur toujours fortuné et très juste Khan, bien que la distance soit d'une année de chemin, néanmoins ses glorieux exploits dont la renommée s'est répandue au dehors et jusqu'en nos régions, ses institutions, sa législation, sa justice, la profondeur et la finesse de son Esprit, la sagesse de son jugement, le mécanisme admirable de son gouvernement sont, d'après ce qu'en disent des témoins dignes de foi, des marchands renommés, des voyageurs instruits, tellement supérieurs à tout ce qui s'est vu jusqu'ici, qu'un seul rayon de sa gloire, une parcelle de ses facultés surprenantes, suffirait à éclipser tout ce que l'histoire nous apprend des Césars de Rome, des Chosroès de la Perse, des Empereurs de Chine, des Kaïls de l'Arabie, des Tobbas du Yémen, des Radjas Indiens, des monarques des maisons de Sassan et de Bouya et des Sultans Seldjoucides... »

Ils apprirent enfin que la guerre avait éclaté entre Gênes et Venise.

* * *

Les Polo frétèrent des bateaux pour Venise. Par crainte des corsaires, des pirates, ils se vêtirent de haillons, se mêlèrent aux équipages. Chacun d'eux, sous ses guenilles, portait une fortune en pierres précieuses. Les galères chargées des trésors asiatiques (ceux-ci avaient été transportés, à travers la Perse et l'Arménie, d'Ormuz à Trébizonde, sur la mer Noire, puis à Constantinople), confiées à des capitaines sûrs, formaient un petit convoi qui avait ordre, afin de réduire les pertes possibles, de se disperser à la moindre attaque.

Il y eut les eaux bleues de la Méditerranée, les eaux vertes de l'Adriatique, la lagune, les îles, les quais de la place de Saint-Marc.

Ils étaient partis depuis vingt-six ans.

* * *

C'était la nuit. Les Polo s'acheminèrent vers leurs palais de San-Felice. Seuls, tous les trois, ils longeaient les canaux obscurs, voyaient la trouée pourpre des torches, entendaient le clapotis des eaux, le cri d'un gondolier, le rire d'une femme jaillissant soudain parmi les notes grêles des mandolines, se sentaient perdus dans un monde étrange qui les enveloppait d'un mystère incommunicable et glacé. Ils cherchaient confusément un lien qui pût les rattacher à un passé que trop de choses mortes refoulaient sous des ténèbres trop épaisses. Le palais leur apparut, pâle dans l'ombre. Nicolas secoua le marteau de bronze, se rappelant le mortel silence d'autrefois. Des siècles... Un valet entrouvrit la porte avec précaution. Les Polo bousculèrent l'homme qui obstruait l'entrée, pénétrèrent dans la pièce, déclinèrent leurs noms. Interdit, le valet prit peur, s'éloigna brusquement, revint avec d'autres domestiques, voulut s'élancer sur eux, vit Marco Polo, son regard, s'arrêta.

— Va chercher tes maîtres.

Ils furent là, de petits cousins, de vagues parents, hautains, pleins de morgue, mais l'œil inquiet déjà, les doigts tremblant au pommeau des épées.

— Nicolas, Matteo, fils d'Andrea Polo. Moi, Marco, fils de Nicolas. Qui êtes-vous ?

— Ceux que vous mentionnez sont morts depuis des années, là-bas, en Asie, tués dans une bataille. Nous sommes leurs héritiers, et ce palais est nôtre par décision de justice. Veuillez sortir.

Mais ils voyaient Marco puissant, calme, le regard assuré, et ces deux étranges vieillards, hauts, maigres, dignes, pareils, avec ces yeux allongés par la lumière d'Asie, avec cette longue barbe blanche taillée en pointe, à la chinoise, et ils ne savaient plus. Sans doute, des imposteurs, mais pourtant, si c'était vrai ! La nuit était avancée. On réglerait ces questions au matin. Les Polo occupèrent un réduit, dans les communs.

Ils quittèrent le palais dès l'aube. Venise était fraîche et lisse comme une jeune fille. Couleur de perle. Une buée rose flottait sur le canal bleu. Déjà, les gondoliers chantaient. Ils reconnurent Venise, et ils virent que malgré l'absence, les années, les morts, Venise les reconnaissait, les acceptait. Ils respiraient avec délices cet air doux, léger, s'en enivraient comme d'un vin.

Ils revinrent au palais, dans le jour, vêtus de vêtements somptueux, suivis d'une foule de marchands portant des cadeaux pour les cousins.

CHAPITRE XIX

Les Polo vivaient dans l'opulence. Ils puisaient sans compter dans le trésor inépuisable d'Asie, faisaient de grandes largesses, distribuaient des aumônes, créaient le bonheur. Les plus nobles familles de Venise se disputaient l'honneur d'être reçues au palais de San-Felice. Ils étaient heureux, jouissaient de la vie comme d'une paix enfin retrouvée. Mais cependant, chez les deux vieillards, une inquiétude subsistait. Marco avait plus de quarante ans. Après lui, la maison d'Andrea Polo s'éteignait. Ils songeaient à le marier, cherchaient parmi leurs relations quelque jeune fille honnête et douce dont il pût s'éprendre, qui perpétuerait le sang. Marco semblait indifférent. Il avait observé le vœu fait autrefois, dans la petite salle douloureuse, sur le tombeau du Christ, à Jérusalem. Il était maintenant délivré du serment. Mais une longue pratique de la chasteté le gardait encore des tendres appels.

Or un matin, à Venise, on apprit brusquement que la flotte gênoise débouchait du détroit d'Otrante dans la mer Adriatique. Venise mobilisa ses galères. L'arrière-petit-fils du Dandolo de Zara, de Constantinople, du Dandolo aux yeux crevés, l'amiral

Andrea Dandolo, en tenait le commandement suprême. Elles étaient au nombre de quatre-vingt-quinze et portaient chacune deux cent cinquante hommes. Marco Polo, sous les ordres de l'amiral, commandait sa propre galère, qui battait pavillon à ses armes.

Après douze heures de navigation, les Vénitiens furent en vue du petit archipel de Curzola, où ils jetèrent l'ancre, attendant l'attaque. Les Génois étaient dirigés par Lamba Doria, du sang de ce Doria qui avait vaincu les Pisans, quatorze ans plus tôt, sur le sanglant banc de sable de Meloria. Comme Doria tardait à venir, Dandolo crut qu'il avait rebroussé chemin et commit l'erreur de renvoyer à Venise son capitaine-général Quirino avec plusieurs galères. Quelques heures à peine s'étaient passées quand Dandolo apprit que Doria poursuivait Quirino. Il rassembla aussitôt le reste de sa flotte, courut sur Doria, disposant ses bâtiments en éventail pour l'encercler.

A l'arrivée de Dandolo, Doria se crut perdu et hissa le drapeau blanc. L'amiral vénitien ordonna à ses capitaines de le laisser passer. Il imaginait que les Génois, convaincus de leur faiblesse, quitteraient l'Adriatique, proposeraient la paix. Mais Quirino feignit de ne pas entendre les ordres, fonça sur l'ennemi, coula coup sur coup dix galères. D'autres suivirent Quirino, bataillant chacun pour son propre compte. Dandolo, immobile, tentait de les rappeler. Alors Doria, voyant que la flotte de Venise n'était guère supérieure par le nombre à la sienne, voyant surtout toute cette confusion dans le commandement, donna le signal de la contre-offensive. La mêlée devint générale. Des récifs bordaient la côte orientale de Curzola. Doria y poussa lentement les Vénitiens, qui oubliaient dans l'ardeur et dans le désordre du combat la marche de la navigation, et une grande partie de leurs vaisseaux allèrent s'écraser sur les rocs. Les autres galères furent prises ou incendiées.

Dandolo était couvert de blessures. Quand les Génois envahirent son bord, il voulut se précipiter à la mer. On le saisit, on l'enchaîna au grand mât de son vaisseau. Les Génois hurlaient leur victoire. Ils avaient subi de lourdes pertes. Octave, fils de Doria, avait été tué aux côtés de son père. Celui-ci l'avait fait aussitôt jeter à la mer en disant: « La terre n'aurait pu lui fournir un plus glorieux tombeau. »

Dandolo, à son mât, tentait désespérément de briser l'étroite étreinte des fers. Il réussit enfin à dégager ses épaules, sa nuque. Il se mit alors à frapper de grands coups contre le mât jusqu'à ce qu'il se fût ouvert le crâne et il mourut en criant à ses ennemis que leurs chaînes ne pourraient jamais lier que des cadavres. On trouva Marco Polo baignant du sang de vingt blessures. On le transporta à bord d'une galère de la flotte victorieuse.

* * *

Marco Polo partageait avec un certain Rusticien de Pise la cellule d'une forteresse de Gênes. Sa renommée, sa richesse, le mystère, l'étrangeté de ses voyages lui donnaient auprès de ses geôliers un prestige qui jouait en sa faveur. Des savants, des érudits, des capitaines, des gens nobles de la République venaient le visiter, l'entendre. Rusticien ne se lassait point d'écouter ces récits. C'était un homme assez bizarre. Il avait été clerc en France, capitaine à Pise, et prisonnier à Gênes depuis quatorze ans, depuis la bataille de Meloria. Pour tromper les ennuis de la captivité, il composait d'interminables romans de gestes qu'il lisait ensuite à ses compagnons. « Pourquoi, demanda-t-il un jour au Vénitien, ne point conserver par l'écriture les hauts faits de ces conquérants, la nouveauté de ces pays, la singularité de ces mœurs ? Tout passe, hormis ce que les hommes ont sauvé de l'oubli par le marbre ou par le parchemin ! Parlez-moi, j'écrirai. »

Ce fut d'abord, en gros caractères, le titre:

LIVRE DES DIVERSITÉS ET MERVEILLES DU MONDE

Puis le prologue:

« Pour savoir la pure vérité des diverses régions du Monde, prenez ce Livre et le faites lire; vous y trouverez les grandissimes Merveilles qui y sont écrites sur la Grande Arménie, la Perse, la Tartarie, l'Inde et sur maintes autres Provinces, et qui vous seront contées avec ordre et clarté: Tout cela Messire Marco Polo, sage et noble citoyen de Venise, le raconte comme il l'a vu. S'il y a certaines choses qu'il n'a pas vues, il les a apprises d'hommes d'une véracité certaine. C'est pourquoi nous citerons les choses vues comme vues, celles entendues comme entendues, afin que notre Livre soit correct et sincère sans nul mensonge. Quiconque entendra ce Livre ou le lira, le devra croire, parce que toutes choses y sont réelles. Car je vous fais savoir que, depuis que notre Sire Dieu fit Adam notre premier père, il ne fut jamais homme d'aucune génération qui tant apprit ou chercha sur les diverses parties du Monde et leurs grandes Merveilles, comme le présent Messire Marco Polo en sut. C'est pourquoi il a pensé qu'il serait par trop malheureux de ne point faire écrire ce qu'il avait vu et entendu véritablement, afin que les autres personnes qui ne l'ont ni vu ni entendu l'apprissent par ce Livre: et j'ajouterai qu'il séjourna bien 26 ans en ces divers pays pour apprendre tout cela. C'est quand il fut enfermé dans la prison de Gênes qu'il fit mettre ce Livre en ordre par Messire Rusticien de Pise qui se trouvait en cette même prison, au cours de l'année 1298 depuis l'Incarnation du Christ. »

Et le premier chapitre du livre commençait ainsi:

« Ce fut en réalité au temps que Baudouin était empereur de Constantinople, en l'année 1260 du Christ, que Messire Nicolas, Père de Monseigneur Marco, et Messire Matteo, frère de Messire Nicolas, se trouvaient en la ville de Constantinople, où ils étaient venus de Venise avec leurs marchandises. Tous deux étaient nobles, sages et prudents. Après s'être consultés, ils résolurent d'aller... »

Et pendant un an, sous la dictée de Marco Polo, Rusticien de Pise fit grincer sa plume sur le papier rugueux fourni par le gouverneur de la forteresse.

* * *

A Venise, les deux frères désespéraient de voir jamais revenir Marco. Les prisons vieillissent vite, tuent souvent. Et la lignée des Polo, après Marco, serait éteinte. Les vieillards erraient mélancoliquement à travers les pièces de leur vaste palais, construisant des songes pour mieux les détruire. Ils avaient offert à Gênes une énorme rançon en échange de Marco. Les Génois avaient refusé; ils tenaient à leur prisonnier, de qui parlait déjà toute l'Europe. La vieillesse touchait plus Matteo que Nicolas. Ils possédaient toujours les mêmes traits, les mêmes gestes, le même regard, mais chez Matteo, tout était diminué, réduit.

Enfin, ils décidèrent que Nicolas contracterait mariage. Après une captivité de six ans, Marco put se libérer, retourner à Venise. Il y trouva deux jeunes fils de Nicolas.

* * *

Traduit en plusieurs langues, le livre de Marco Polo eut un succès retentissant. Les géographes, d'après les récits du Vénitien, tracèrent pour la première fois sur la carte du Monde les contours de la Chine, du Japon, des Iles de la mer de l'Inde. D'immenses régions ruisselantes de gloire, de richesses, de sang, de beauté, et qu'ils avaient crues jusqu'alors peuplées de vagues tribus errantes et grossières, se dressèrent brusquement devant les yeux étonnés des Européens. La Terre prenait soudain des proportions insoupçonnées, s'agrandissait indéfiniment.

Marco Polo devint le premier citoyen de la Péninsule. Chaque année augmentait sa gloire. Les grands de l'Europe échangeaient des correspondances avec lui, venaient le visiter. Un prince français, Charles de Valois, frère de Philippe le Bel, l'honorait de son amitié, de sa confiance. Ce Valois avait épousé la fille de Baudouin II, impératrice titulaire de Constantinople, et songeait à reconquérir le vieil empire de Byzance. On nomma Polo membre du Conseil des Dix. Il prit femme enfin. Elle s'appelait Donata. Elle lui donna deux filles.

Des nouvelles lui parvenaient parfois d'Asie. La mission religieuse des Polo n'avait pas été sans succès. Jean de Monte-Cornivo, envoyé du pape Nicolas IV, était devenu archevêque attitré de Khanbalik et réunissait autour de son église de nombreux fidèles. Mais l'empire mongol, déjà, s'effritait. En Perse, Gazan avait secoué le joug impérial, ne rendait plus hommage, s'était converti à la foi musulmane et proclamé roi souverain; à sa mort, ses fils s'étaient répandus en luttes intestines, avaient formé de petits

Etats indépendants et chicaniers qui s'entre-déchiraient. Du côté de l'Amou-Daria, les descendants de Kaïdou continuaient de provoquer leurs voisins, vivaient de rapines, de pillages. Dans le Caucase, en Russie méridionale, les descendants de Djoutchi le Bâtard régnaient en maître, refusaient à quiconque toute allégeance. Au Thibet, le pouvoir théocratique du Dalaï-lama s'était affermi; il ne souffrait plus aucune ingérence de la part du Grand-Khan. En Chine même, Timour, petit-fils et successeur de Koubilaï, avait vu s'accumuler autour du trône impérial les pires difficultés. Depuis l'échec de l'expédition de Zipangu, les troupes mongoles n'inspiraient plus le paralysant effroi de jadis. Elles avaient subi des revers en Indo-Chine, en Mongolie, dans l'Inde. Les héritiers de Timour avaient encore augmenté les sujets de discorde en embrassant le confucianisme, le bouddhisme, et voulant flatter tour à tour toutes les religions, ils n'avaient réussi qu'à toutes les mécontenter. Enfin les Chinois, malgré l'effroyable saignée mongole (ils étaient cent millions en 1225, cinquante-huit millions en 1290), absorbaient peu à peu leurs conquérants, les étouffaient. Le rêve qu'avait caressé le jeune Temudjin, au fond de ses steppes natales, devait demeurer dans la mémoire des hommes comme le plus épouvantable cauchemar que le monde eût jamais subi.

* * *

Dans les dernières années de sa vie, Marco Polo connut les hideux visages de l'envie, des haines. Il possédait trop de bonheur, trop de richesses, et sa réputation avait trop d'éclat. Son livre s'était fort répandu; on fit circuler des rumeurs au sujet de sa véracité. On exploita la vanité des seigneurs, la naïveté de certains religieux. Aux premiers l'on disait que le livre, en rapportant les innombrables conquêtes des Mongols, le faste éblouissant du règne de Koubilaï, diminuait singulièrement la puissance des royaumes d'Europe; aux seconds, que le prestige de l'autorité papale, à Rome, souffrait de la description trop complaisante des diverses fois religieuses, que le livre tentait sourdement de saper le dogme de l'universalité de l'Eglise. Il recevait des messages injurieux, des lettres insultantes. On se moquait de l'ampleur des chiffres cités. Des gamins de Venise criaient sur son passage:

« Marco Milioni, O Marco Milioni ! » Mais ce fiel ne touchait pas Marco Polo. Il avait vécu son rêve.

Quand il fut étendu sur son lit pour mourir, la calomnie avait tellement rongé la confiance de tous que sa propre famille l'adjura, « pour le salut de son âme », de désavouer certains passages de son livre. Il leur dit alors que loin d'exagérer la vérité, il n'avait pas osé, connaissant l'incrédulité des hommes, relater la moitié des choses extraordinaires qu'il avait vues ou entendues. Il expira dans la plus grande paix. Il avait soixante-dix ans.

CHRONOLOGIE

1900   Naissance d'Alain Grandbois, le 25 mai, à Saint-
                Casimir de Portneuf, du mariage de Henri
                Grandbois et de Bernadette Rousseau.

1906-1912   Fréquente d'abord le couvent des Sœurs de la
                Providence, puis l'Académie Saint-Louis-de-
                Gonzague, dirigée par les Frères de l'Instruction
                chrétienne.

1912   Élève de la deuxième section de la classe d'élé-
                ments, au Collège de Montréal. Succès moyens.
                Quitte le collège après quatre mois.

1913-1917   Fréquente le Petit Séminaire de Québec. Doit
                reprendre sa cinquième en 1914.

1917   Inscrit quelques travaux dans *les Cahiers de
                l'Académie Saint-Denis.*

1918   Voyage au Canada, d'un océan à l'autre.

1919   Entre à St. Dunstan University, à Charlotte-
                town, Île-du-Prince-Édouard.

1920   Baccalauréat en philosophie.
                Voyage en Europe ; visite Londres, Paris, Ber-
                lin, Vienne, Rome, Gênes, Pise, Florence où il
                séjourne un an.

1922   S'inscrit en droit à l'université Laval.

1924   Licencié en droit.

1925   Admis au Barreau du Québec, le 25 juillet.
                Nouveau séjour en Europe. Fréquente, lors de ce
                séjour à Paris, l'École libre des sciences sociales
                et rédige une thèse sur Rivarol qu'il ne soutient
                toutefois pas.

1926-1933   Voyage en Savoie, séjour à Biarritz, à Cannes, en Italie, en Belgique, en Hollande, en Norvège, en Allemagne, en Union soviétique, en Afrique du Nord, aux Indes et dans l'île de Port-Cros, en Méditerranée.

1933   Parution à Paris de *Né à Québec*.
Voyage par toute l'Europe, en Terre-Sainte, en Extrême-Orient, puis en Chine et au Japon.

1934   Parution à Hankéou de *Poèmes*.

1935   Retour à Québec.

1935-1939   Nouveau séjour en Europe puis en Afrique (fin 1937) et en France encore.

1939   Rapatrié au pays en raison de la guerre ; s'installe à Montréal.

1940   Passe l'été à Saint-Irénée dans le comté de Charlevoix.

1941   **Parution des *Voyages de Marco Polo*, à Montréal. Prix David.**

1942-1944   Publication dans *la Revue moderne* de quelques nouvelles qu'il avait rédigées à la Bibliothèque Saint-Sulpice de Montréal.

1944   Parution des *Îles de la nuit* (en mai).
Prix David.
Participe à la fondation, le 7 décembre, de l'Académie canadienne-française.

1945   Parution, sous le titre *Avant le chaos*, de nouvelles parues dans *la Revue moderne*. Il y ajoute «Grégor», un inédit.

1944-1948   Collabore à diverses revues (*la Revue populaire, la Revue moderne, Liaison, l'Action universitaire*).

1948   Parution de *Rivages de l'homme*.

1950   Prix Duvernay, pour l'ensemble de son œuvre.

1950-1952	Écrit les textes de « Visages du monde », diffusé sur les ondes de Radio-Canada, du 18 avril 1950 au 22 septembre 1952.
1954	Reçoit la médaille Lorne Pierce de la Société royale du Canada. Publication de quatre poèmes dans le tome II des *Biennales internationales de la poésie*.
1955	Boursier de la Société royale du Canada. Voyage en Europe. En compagnie de Ringuet (le docteur Philippe Panneton), il est présenté par René Garneau à la Société des gens de lettres de France.
1957	Parution de *l'Étoile pourpre*.
1958	Prix Duvernay, pour l'ensemble de son œuvre. Parution, chez Fides, dans la collection «Classiques canadiens», du livre de Jacques Brault, *Alain Grandbois*.
1960	Parution d'un numéro spécial de *Liberté* consacré à Grandbois.
1960-1961	Boursier du Conseil des arts du Canada. Voyage en France et en Italie.
1961	S'installe à Québec. Fonctionnaire au Musée de la province.
1963	Parution de *Poèmes* à L'Hexagone. Prix France-Canada. Prix Molson, du Conseil des arts du Canada.
1963-1966	Publication, dans *le Petit Journal,* de quarante-cinq profils littéraires sous le titre «Prosateurs et poètes du Canada».
1967	Reçoit un doctorat honoris causa de l'université Laval.
1968	Parution, à Montréal et Paris, à l'Hexagone et chez Seghers, d'une étude de Jacques Brault, dans la collection *Poètes d'aujourd'hui, Alain Grandbois*.

1968	Prix de l'Académie française (juin), pour l'ensemble de son œuvre.
1969	Invité de Fernand Séguin à l'émission *le Sel de la semaine,* diffusée à la télévision de Radio-Canada, le 17 février.
1970	Président d'honneur des différents jurys pour l'attribution du Grand Prix littéraire de la ville de Montréal.
	Prix David, pour l'ensemble de son œuvre.
	Parution, chez Fides, d'une édition de luxe de *Poèmes,* illustrée par Richard Lacroix.
1971	Dévoilement, par la Société des poètes canadiens-français, le 17 octobre, d'une plaque de bronze placée sur la maison natale du poète, maison sise au 145 ouest de la rue Tessier à Saint-Casimir.
	Parution de *Visages du monde. Images et souvenirs de l'entre-deux-guerres,* chez HMH.
1972	**Reçoit un doctorat honoris causa de l'Université d'Ottawa.**
1974	Parution, aux Presses de l'université Laval, dans la collection *Vie des lettres québécoises,* de *Présence d'Alain Grandbois* avec quatorze poèmes parus de 1956 à 1969, par Jacques Blais.
1975	Mort à Québec, le 18 mars.
	Funérailles de l'écrivain en l'église Notre-Dame-du-Chemin et inhumation au cimetière de Saint-Casimir, le 21 mars.
1976	**Parution, chez Fides, dans la collection Écrivains canadiens d'aujourd'hui, de l'étude de Madeleine Greffard, *Alain Grandbois.***
1977	Suite au dépôt du fonds Alain Grandbois aux Archives nationales du Québec, publication d'un catalogue intitulé *Fonds Alain Grandbois.*

BIBLIOGRAPHIE

I. *Oeuvre*

Les Voyages de Marco Polo, Montréal, Éditions Bernard Valiquette, [1941], 229 [1] p.

Préface de Jacques Blais, Montréal, Fides, [1969], 174 p. (Collection du Nénuphar).

II. *Études*

[ANONYME], « Les Livres. *Les Voyages de Marco Polo* par Alain Grandbois », *la Presse,* vol. LVII, n° 233, 19 juillet 1941, p. 29.

_____ « Vient de paraître. *Les Voyages de Marco Polo* par Alain Grandbois », *le Devoir,* vol. XXXII, n° 165, 19 juillet 1941, p. 7.

_____ « Nos amis les livres. *Marco Polo* par Alain Grandbois », *la Patrie,* vol. LXIII, n° 125, 23 juillet 1941, p. 10.

_____ « Les Voyages de Marco Polo », *le Bien public,* vol. XXXIII, n° 30, 31 juillet 1941, p. 4

_____ « *Les Voyages de Marco Polo* par Alain Grandbois [...] », l'Action universitaire, vol. VIII, n° 1, septembre 1941, p. 24.

_____ « Un prix David 1941 », *le Droit,* vol. XXIX, n° 242, 18 octobre 1941, p. 18.

BÉGIN, Émile, « Bibliographie canadienne. *Les Voyages de Marco Polo* », *l'Enseignement secondaire au Canada,* vol. XXII, n° 1, octobre 1942, p. 71-73.

BLAIS, Jacques, *Présence d'Alain Grandbois,* avec quatorze poèmes parus de 1956 à 1969. Québec, les Presses de
l'université Laval, 1973, VIII, 260 p. [surtout, p. [83]-
102].

DANTIN, Louis [pseudonyme d'Eugène SEERS], «Chronique des livres. La Chine du XIIIe siècle ravivée par un
Canadien-Français [*sic*]: *les Voyages de Marco Polo*
par Alain Grandbois», *le Jour,* vol. V, n° 2, 20
septembre 1941, p. 7.

DUHAMEL, Roger, «Courrier des lettres. *Les Voyages de
Marco Polo* par Alain Grandbois», *le Canada,* vol.
XXIX, n° 119, 23 août 1941, p. 2.

[EN COLLABORATION], «Témoignages», *Liberté,* nos
9-10, mai-août 1960, p. 179-188 [numéro spécial
consacré à Grandbois. Témoignages d'Alfred Des-
Rochers, Wilfrid LeMoine, Yves Préfontaine, Pierre
Trottier, Michèle Lalonde, Jacques Godbout].

GAGNON, Ernest, «Alain Grandbois. *Les Voyages de
Marco Polo*», *Relations,* n° 9, septembre 1941, p. 251.

GODIN, Gérald, «Comment l'idée d'écrire vint à Marco
Polo», *le Nouveau Journal,* vol. I, n° 158, 10 mars 1962,
p. III.

_____ «Alain Grandbois: les aventures d'un enfant du siècle
qui voulait être Marco Polo», *le Nouveau Journal,*
vol. I, n° 152, 3 mars 1962, p. I. Photo.

GREFFARD, Madeleine, *Alain Grandbois,* Montréal, Fides, [1975], 194 p. (Collection Écrivains canadiens
d'aujourd'hui, n° 12).

HAMEL, Réginald, John HARE et Paul WYCZYNSKI,
Dictionnaire pratique des auteurs québécois. Montréal,
Fides, [1976], p. 310-313.

LANGEVIN, André, «Nos écrivains: Alain Grandbois»,
Notre Temps, vol. II, n° 23, 22 mars 1947, p. 1-2.

LAURENDEAU, André, «Les Livres. *Les Voyages de
Marco Polo*», *l'Action nationale,* vol. XVIII, septembre
1941, p. 75-76.

LLEWELLYN, Robert E., « Livres, Revues et Journaux [...]. *Les Voyages de Marco Polo* par Alain Grandbois », *Bulletin des études françaises* (Montréal), vol. V, janvier 1942, p. 75-76.

MAHEUX, Arthur, « Livres canadiens. *Les Voyages de Marco Polo* d'Alain Grandbois », *le Canada français,* vol. XXIX, n° 1, septembre 1941, p. 30.

L'ONCLE GASPARD [pseudonyme de Jean-Marie TUR-GEON], « Comme au temps de Marco Polo », *l'Action catholique,* vol. XXXIV, n° 10 642, 18 juillet 1941, p. 4.

PAPILLON, A., « l'Esprit des livres. [...] Alain Grandbois, *Les Voyages de Marco Polo* [...] », *Revue dominicaine,* vol. XLVIII, février 1942, p. 122.

PELLETIER, Albert, « Revue des livres. *Les Voyages de Marco Polo* », *Regards,* vol. III, n° 1, septembre-octobre 1941, p. 44-46.

ROMPRÉ, Danielle, *Fonds Alain Grandbois.* Préface de Jean-Guy Pilon, Montréal, Gouvernement du Québec, Ministère des Affaires culturelles, Bibliothèque nationale du Québec, 1977, 106 [1] p. [Textes de Jean-Guy Pilon, Roland Auger, Fernand Ouellette, Léopold Leblanc et Jacques Blais].

ROYER, Jean, « Alain Grandbois, Prix David », *l'Action,* vol. LXIII, n° 18 986, 24 janvier 1970, p. 13.

SYLVESTRE, Guy, « *les Voyages de Marco Polo* », *le Droit,* vol. XXIX, n° 225, 27 septembre 1941, p. 16.

TRUDEAU, Pierre-Elliott, « Notes. *Les voyages de Marco Polo* par Alain Grandbois. (Éditions Bernard Valiquette) », *Amérique française,* vol. I, n° 1, novembre 1941, p. 45-46.

TABLE DES MATIÈRES

bibliothèque québécoise

Beaugrand (Honoré)
  La chasse-galerie

DesRochers (Alfred)
  À l'ombre de l'Orford

Garneau (Saint-Denys)
  Poèmes choisis

Girard (Rodolphe)
  Marie Calumet

Giroux (André)
  Au delà des visages

Grandbois (Alain)
  Les voyages de Marco Polo

Grandbois (Madeleine)
  Maria de l'hospice

Leclerc (Félix)
  Dialogues d'hommes et de bêtes

Roquebrune (Robert de)
  Testament de mon enfance